20歳の自分に教えたい
本物の教養

齋藤 孝

SB新書
620

はじめに

教養はただの知識ではない

この本を手に取ったあなたは、教養とはどういうものだと思いますか？

こんな知識を問う問題があったとしましょう。

「ダビデ像や、聖母マリアが死んだイエスを膝に抱いたピエタ像、自身の豊かな髭をなでる英雄モーセ像を制作した、イタリアルネサンス期の天才彫刻家は誰か」。

答えは、ミケランジェロです。

すぐに答えられたとして、その人は教養があると言えるでしょうか。

もし、単にクイズ的に即答しただけなら、教養があるとは言い難いでしょう。教養とは、クイズのように1対1の対応関係で答えるようなものではなく、知識のつながりだからです。

「旧約聖書の出エジプト記に出てくる英雄モーセを、ミケランジェロは彫刻でこうやって表現したんだよね。フロイトはこの彫刻を、動きをテクニックで表す他の彫刻とは一線を画していると評価しているんだ」

たとえばこんなふうに『旧約聖書』とモーセ、ミケランジェロの彫刻のすごさ、そしてフロイトまでさまざまに知識がつながっているからこそ、教養は人生に豊かさや奥行きを与えてくれます。

本来多くの人が知っているべきことを知っているというのも重要です。なぜなら、会話ができるからです。「バベルの塔みたいだね」といったときに「それって何だっけ?」といちいち躓《つまず》いていたら、話が進まず途中で面倒になってしまいます。

教養がある者同士の会話は、卓球などで言うところのラリーを楽しむようなもの。音楽で言うなら、高度なアンサンブルが楽しめます。教養がないと知的な会話を楽しめません。

スマホ検索と新書読み

私たちの目の前には、広大な教養の海が広がっています。書店や図書館は、教養にあふれています。また、スマホ一つあれば簡単にアクセスできます。検索をすればあらゆる情報を得られる時代です。質の高い教養に触れられるYouTube番組もありますし、芸術作品を見ることもできます。

それなのに、SNSで自分と同じレベルの人とコミュニケーションを取るばかりでは、知識にすらつながらず、教養が身につきません。それでも良いというのは貧困です。〝お金の貧困〟よりもむしろ、〝教養（知）の貧困〟のほうが心配です。

私はときどき学生たちに問いかけ、あまりにものを知らない場合は、その場で検索をしてもらっています。「バベルの塔」がわからないなら、いつも持ち歩いているそのスマホで検索すればいいのです。何度か検索を繰り返すだけで、いろいろなことがわかります。宗教的な意味から、芸術作品、言語の問題までつながりが見えてきます。魔法のように簡単にわかるのですから、使わない手はありません。

それからおすすめしたいのは新書です。新書は、さまざまな専門分野の入門書として情報を網羅している本が多く、安定感があります。ちゃんとした新書を1冊読むと、その分野についての教養がかなり身につきます。

インターネット上の情報は、お城で言うとお堀のようなもので、いろいろな情報が入れ替わりながら流れているイメージです。それに対して、新書で得る情報は本丸です。両方を使って、教養の砦を築いていきましょう。

激動の時代に欠かせない6つの必須教養科目

本書では、「お金と資本」「宗教」「哲学・思想」「歴史」「芸術」「言葉と文学」の6つを教養の柱として取り上げています。これらは互いにつながり合うものです。つながり合ってベースとなり、世界の多様な出来事が理解できるようになると考えています。

本来は、科学的知識は大切な教養の柱ですが、物理や化学などについては、ある程度の基礎知識が必要なので、今回は誰でも入っていきやすい、この6つを柱としました。

「お金と資本」は、現代では重要度が増しています。他の教養があれば、お金の話はどうでもいいというわけにはいきません。「お金と資本」も教養の一つとしてとらえて、他の教養とつなげて考えていくことが必要です。

「宗教」は、21世紀の科学の時代になれば宗教の重要性はなくなるのかと思いきや、そんなことはありませんでした。むしろ宗教間の対立が目立ったり、宗教に安らぎを求める人が増えたりしています。

「哲学・思想」は、物事の本質に立ち返って考えさせてくれるものです。情報があふれる現代で、「本当に重要なことは何か」「本質は何か」と考えることができないと、迷子になってしまいます。

「歴史」は、いつの時代も不可欠な教養です。私たちがどこから来て、今どこにいるのか。さらには、これからどうなるのかという方向性を考えるにも、歴史の知識がベースになければならないでしょう。

「芸術」は、人生を豊かにしてくれます。情報や知識だけでは、魂の栄養が不足してしまうのです。他の学問的な教養とあわせて知っておきたいところです。また、「歴史」や「宗教」などを、文化の面から見るということも重要です。

「言葉と文学」は、日本語と日本文学の教養です。非常に奥深く豊かな世界がありますから、知らずにいるのはもったいなさすぎます。文化を守っていくためにも、大切です。

これら6つの教養の土台を作り、豊かな人生の礎としていきましょう。

※本書内における引用箇所では、傍点などの体裁は原文ママとし、適宜編集部によるルビを追加しました。また、一部の注釈については省略しています。

20歳の自分に教えたい本物の教養◉目次

第2章

宗教……63

馴染みがなくても身近な存在

第3章

哲学・思想……109

問いを立てることから人生が始まる

第4章

歴史……149
人類の失敗と成功から学べること

第5章

芸術

第6章

言葉と文学……227

今こそ知るべき日本語と日本文学

第1章

お金と資本

真の自由と幸福のヒントがここに

最初に考えてみたいのは、「お金と資本」です。

お金というと、「教養」から少し離れているように感じる人もいるでしょう。

しかし、お金の知識はこの現代社会において重要な意味を持ちます。なぜなら私たちは、お金が必須の資本主義社会に生きているからです。

「私は、お金とどうつきあっていけばいいのか」。豊かな人生を生きるために、これは重要なテーマの一つです。お金にまつわる一定の見識を持っていれば、精神も安定します。さらには、「教養」そのものの枠を広げ、現代社会に即したかたちで深めていくことができるでしょう。

お金のパワーとストレス

現代の資本主義は、18世紀後半にイギリスで起きた産業革命をきっかけに、本格的に成立しました。企業や個人が自由に商売をすることができ、生産のために必要な設備や土地など（資本）も持つことができる、という考え方です。自由に競争できるため、社会全体が発展しやすい一方、富める者と貧しい者の格差が生まれやすくなります。お金があれば、たいていのモノやサービスを買うことができ、金銭が豊かさを引き寄せるパワーを持ちます。

日本にいる私たちにとってはこれが当たり前ですが、資本主義でないところではお金があまり意味を持たない場合があります。

たとえば原始の共同体社会のように、必要なものを必要なだけみんなで分けるのであれば、お金は必要ありません。

タンザニアで今も太古の暮らしを続けるハッザ族の人々は、集めた食料などをみんなで平等に分け合います。シカなどの動物を狩ったら、活躍した人に多くとか、エライ人に多く分けるということはありません。集団で暮らす20〜30人全員に、同じように肉を分けます。彼らにとって、「平等」は極めて重要な生存戦略なのです。

ＮＨＫスペシャル「病の起源」（２０１３年）では、ハッザ族が「うつ病」と無縁であることが紹介されていました。うつ病は、脳の扁桃体に関係があるとわかっています。脳情報通信融合研究センターの春野雅彦博士による「お金を分け合う実験」では、被験者が他の人とお金を分けたとき、自分のほうが少なくても多くても、扁桃体が激しく活動し、公平であるときにはほぼ反応なしという結果が報告されました。

平等にモノを分け合って暮らしていた昔の人類には、現代のようなうつ病はなかったと考えられます。経済的不平等が大きなストレスになることがわかる興味深い例ですね。

教養人はマルクスを読んでいる？

経済的不平等をなくそうとして出てきたのが、社会主義思想です。有名な『資本論』を著したカール・マルクスは、資本主義を批判し、共産主義思想を体系化しました。共産主義とは、財産を私有するのではなく、みんなで共有することで貧富の差がない社会を実現しようとする思想です。そこに至るためのステップとして、国が資本を所有・管理し、平等にする体制の社会主義があります。

私が大学生だった頃、マルクスの書を中心とした社会主義理論は、教養として学ぶべきものでした。東大では入学するとまず教養学部に入り、2年間しっかり教養を身につけるように言われます。

当時の哲学の先生は、マルクス主義理論の大家でもある廣松渉《わたる》先生。社会学は見《み》田宗介《むねすけ》先生で、『現代社会の存立構造』（筆名：真木悠介　筑摩書房）など、資本主義を批判する著書を出されていました。日本の進歩的な知識人と言われる人たちの多くが、マルクスの影響を受けていたのです。そういう意味では、マルクスを理解することで、経済学だけでなく哲学や社会学についても、理解がしやすくなるでしょう。

私自身はマルクスに傾倒していたわけではありませんが、それでも大量にその種の本を読みました。時代がそうだったのですね。今の若い人はマルクスの思想について知らない人も多いようです。ただ、資本主義について理解を深めるためにも、『資本論』はぜひとも押さえておきたい教養の書です。

マルクスとエンゲルスの共著『共産党宣言』は、「今日までのあらゆる社会の歴史は階級闘争の歴史である」、「万国の労働者《プロレタリアート》、団結せよ」という文で有名です。

社会主義国家、共産主義国家は、問題が多く、成功したとは言えませんが、マルクスについて一定の知識は持っていたほうが教養人としての幅が広がります。

▼おすすめ書籍

『マルクス　資本論　シリーズ世界の思想』佐々木隆治／著　KADOKAWA／角川選書　2018年

「シリーズ世界の思想」の中の一冊です。『資本論』本文に即して丁寧に解説をしてくれているので、原典にチャレンジしたい人には良い手引きになるでしょう。本格的でありながら読みやすいシリーズでおすすめです。

『図解　資本論　未来へのヒント』齋藤孝／著　ウェッジ　2022年

『資本論』は非常に読みにくいので、図解などでわかりやすくした解説本もいいでしょう。本書は、各項目の冒頭にマルクスの文章を引用しつつ、解説の中に多く図解を入れています。一見、つながりのなさそうなあらゆる社会問題と『資本論』との間に、意外な関連性を見《み》出《いだ》すことができます。

資本主義の問題点とは何か

マルクスの時代、産業革命直後の頃は、労働者がかなりキツい立場に置かれていました。安い賃金で働かされ、頑張っても豊かになれないのです。資本主義の問題点とは何か。マルクスはこれを明らかにしようとしました。

資本主義の登場人物は、資本家と労働者です。資本家は、商品を生産するための施設を持っています。そこで働く人々は労働者です。

たとえば、2000円で仕入れた材料を使って商品を作るとしましょう。労働者が5時間働いて1つの商品ができます。それを1万2000円で売ります。ここで労働者は、1万円の価値を生み出していることになりますね。

それでは単純に、労働者に1万円が支払われるかというと、そうではありません。資本家は施設を提供しているのですから、取り分があります。1万2000円のコストをかけた商品を、1万2000円で売ったら儲けがありませんよね。では、資本家はいくら取ったらいいのでしょうか？

そこで出てくるのが、「労働力の価値は、労働力の所持者の維持のために必要な生活手段の価値である」という考え方です。要するに、労働者の生活費を給料として支払ってやればいい、ということです。

労働者がちゃんとごはんを食べて、休養もとり、明日もその労働を継続できるような生活をするためには、1万円が必要ということなら、その労働力は1万円なのです。そこで資本家は考えます。1日10時間働いてもらって、商品を2個作ればいい。すると、材料費4000円＋給料1万円＝1万4000円のコストで、2万4000円の商品を売ることができる。1万円の儲けが出る……。

本当は、その労働者に対して価値を生み出した分の見返りがあっていいのですが、そうはなりません。「搾取」が起きます。資本家が労働者を選ぶことができるからです。より安い労働力を選ぶようになるので、労働者が「生み出した価値＝給料」にはならないのです。

これが、マルクスが指摘した資本主義の問題点です。

マルクスの時代は、資本主義の問題点が今より深刻でした。労働者は、安い賃金で長時間労働させられていました。その一方で、資本家はより豊かになっていきます。

現代の労働者は、当時よりももっと守られていますが、資本主義の本質的な問題は変わりません。労働者はお金が欲しいので、給料は安くてもいいから働きたいという人がいます。人手不足になれば資本家も困りますから、給料を上げるはずです。

しかし、パートタイマーやアルバイト、派遣といった労働力が多く流入したおかげで、賃金の水準を上げずに済みました。そのような経緯もあり、日本はこの30年間、ほとんど給与を上げないままやってきたのです。

そして今や日本の賃金水準は、OECD（Organisation for Economic Cooperation and Development：経済協力開発機構）の中で、下位層に位置しています。調査対象35カ国中22番目、アメリカの半分くらいとまで言えます。東大を卒業して日本の一流企業に就職するより、アメリカでアルバイトをしていたほうが、給料が良いということすらありえます。

こういった状況も、資本主義の分析ができていれば理解しやすくなります。

資本主義社会は、お金がお金を呼ぶ世界

若い人はあまり実感がないと思いますが、かつて日本はバブル景気に沸いていた時期がありました。１９８６年から１９９１年2月頃にかけて、土地や株式の価格が上昇し続け、日本全体が好景気に浮かれているような感じでした。札束をビラビラさせながらタクシーをとめる、なんていう姿があちこちで見られていたのです。

当時私は20代でしたが、大学院生でひたすら勉強していたので、まったく蚊帳《かや》の外でした。蚊帳の外から「なるほど、これはお金がお金を呼ぶ世界だなぁ」などと思っていました。

そして、バブルははじけます。土地の値段も株価も急落し、一気に景気が悪くなり

ました。1991年から1993年頃に起きたこの景気後退は「バブル崩壊」と呼ばれます。

さて、資本主義経済ではこういった、ある種のバブルが必ず起きるものなのだとマルクスは言っています。「お金がお金を呼ぶ」というバブル的性質をお金が持っているからです。

資本家は、労働者を雇って商品を生産・販売し、剰余価値を得ます。元手となるお金を使って、お金を増やすわけです。100円で買ったものを100円で売っても、意味はありませんよね。つまり、利益を出す必要があるのです。その剰余価値をまた資本に組み込めば、さらに大きな剰余価値を生み出すことができます。

資本家同士の競争もあって、資本家は自分の資本を増やしていかざるをえません。労働者の搾取だけでなく、科学技術の進歩によって、すぐれた機械や装置を安く手に入れられるようになれば、コストが下がってさらに資本を蓄積できるようになります。

こうして、資本の蓄積は止まりません。お金のあるところにお金が集まっていきます。これは、資本主義社会でのお金の持つ性質です。

そもそも、自由な競争の中で儲けることができ、自由に所有できるとなれば、人々はもっと多く儲けたい、所有したいという欲求を持つことになります。

バブルとは、主に不動産や株式などの価格が実態とかけ離れて高騰することです。価格が上がり続けているところには、お金が集まってきます。高い価格で買っても、誰かがさらに高い価格で買ってくれるから、儲けられるのです。しかし、そのまま永遠に価格が上がることはなく、必ず暴落します。これが、バブル崩壊です。

バブルは１９８０年代の日本だけではなく、資本主義の世界で何度も繰り返されています。

江戸時代の商売の才覚がわかる『日本永代蔵』

お金がお金を呼ぶ性質があることは、江戸時代の浮世草子の作者であり俳人の井原西鶴も言っています。代表作の一つである『日本永代蔵』の中には、「銀《かね》がかねをためる世の中」（巻二の三「才覚を笠に着る大黒」）とあり、同じような表現は幾度となく登場します。

『日本永代蔵』は日本で初めての経済小説と言われており、江戸時代の人々がビジネスで成功したり失敗したり、お金の魔力にとりつかれたりといった様子をいきいきと描いた非常に面白い作品です。

「才覚を笠に着る大黒」という話は、京にある大黒屋新兵衛というとても繁盛していた店の長男、「新六」が主人公。

無駄遣いがひどいので父親に勘当されてしまい、ほとんど無一文の状態で江戸へ向かいます。新六は旅の途中、困り果てて盗みを働いたり、インチキ商法に手を出したりしながら、62日目に江戸近くの品川宿の東海寺門前にやってきました。

そこにたむろする3人の乞食たちの話に耳を傾けると、実は3人とも元は人並みの暮らしをしていたといいます。江戸での商売に失敗した人、さまざまな芸は身につけたけれども商売の役に立たなかった人、大屋敷を持っていて家賃収入があったのに倹約しないために落ちぶれた人。

新六は、３人それぞれが立派な世間への認識を持っているのだから、どうにかして商売ができるのではないかと尋ねますが、「銀《かね》がかねをためる世の中」だから資本なしにはどうしようもない、と教えられるのでした。

ところが、新六は諦めずに商売のヒントを探します。

思いついたのは、大きな木綿を調達して細かく切って小さな手ぬぐいにし、天神様の縁日に手水鉢《ちょうずばち》の近くで売ることでした。これが参詣人たちの好評を得て利益をあげ、10年もたたないうちに評判の金持ちになったのです。

新六には商売の才覚があったということでしょう。資本はなくても、目の付け所、アイデアがお金を生み出すことがあるわけです。需要を見つけて、工夫をすることで成功した人は数多くいます。

こういった具体的なお金儲けの方法を盛り込んだノウハウ書のような物語を、江戸時代のまだ初期の頃に書いた井原西鶴はすごい人だったのだなぁと感じますね。今読んでも、ヒントになるのではないでしょうか。

▼おすすめ書籍

『新版　日本永代蔵　現代語訳付き』井原西鶴／著　堀切実／訳注　KADOKAWA／角川ソフィア文庫　2009年

第一部が現代語訳、第二部が井原西鶴の本文と、堀切実先生による解説からなっています。一つひとつが短い物語ですから、まず現代語訳で読んで、本文と解説を確認するというように読んでいくと非常にわかりやすいでしょう。

「資本主義の精神」を体現していたフランクリン

さて、現在の資本主義社会について考えるにあたって、フランクリンと渋沢栄一は二大重要人物と言えます。

ベンジャミン・フランクリンは、アメリカの「資本主義の父」と呼ばれている人です。政治家、外交官、著述家、科学者、発明家と多様な顔を持ち、いずれの分野でも大きな功績を上げているという超人的な人物です。現代の日本ではあまりなじみがないかもしれませんが、アメリカ本国では肖像画が紙幣に使われており、いまも尊敬を集めていることがわかります。

フランクリンがアメリカのボストンに生まれたのは１７０６年。アメリカ独立前の時代にすでに大活躍しており、独立の立役者となります。アメリカ独立宣言が採択された１７７６年は、フランクリンが70歳のときでした。

フランクリンが「資本主義の父」と呼ばれるのは、「倹約し、勤勉であれ」と説きながらビジネスで成功し、生き方を通じて資本主義の精神を示していたからです。

「資本主義の精神」とは、経済活動を倫理的に支えるエートス（後に身につけた慣習、生まれつきの性質）のことです。フランクリンは常に、社会に貢献し、新しい世界を作っていくのだという想いを持っていました。個人の利益よりも公共心をもって事業を行っていたのです。

ドイツの社会学者、マックス・ヴェーバーが１９０５年に著した『プロテスタンティズムの倫理と資本主義の精神』の中には、フランクリンの言葉が紹介されています。


「時間は貨幣だということを忘れてはいけない。一日の労働で一〇シリング儲けられるのに、外出したり、室内で怠けていて半日を過ごすとすれば、娯楽や懶惰《らんだ》のためにはたとえ六ペンスしか支払っていないとしても、それを勘定に入れるだけではいけない。ほんとうは、そのほかに五シリングの貨幣を支払っているか、むしろ捨てているのだ」

「信用は貨幣だということを忘れてはいけない」

「貨幣は繁殖し子を生むものだということを忘れてはいけない」
「支払いのよい者は他人の財布にも力をもつことができる——そういう諺《ことわざ》がある
ことを忘れてはいけない」
「信用に影響を及ぼすことは、どんなに些細なおこないでも注意しなければいけ
ない」
（『プロテスタンティズムの倫理と資本主義の精神』マックス・ヴェーバー／著　大塚久雄／
訳　岩波文庫　1989年　より引用）

当時のアメリカでビールばかり飲み、その日暮らしをしている人たちにも「健康に気をつけ、時間を大事にしなさい」「信用を大事にしなさい」「倹約し、勤勉になりなさい」とアドバイスし、自らを律してそういう生き方をしていたのです。

フランクリンの勤勉さの背景には、信仰心の篤いプロテスタントの父の影響がありました。プロテスタントとはキリスト教の宗派の一つで、勤勉で禁欲的な面が濃いと言われます。フランクリン自身は、生涯にわたって熱心なキリスト教徒というわけで

はありませんでしたが、手元にはいつも『聖書』があり、考え方の規範となっていました。

フランクリンは、亡くなるまで時間を見つけては自伝を書き続けていました。『フランクリン自伝』は出版されると世界的ベストセラーとなり、明治中期以降の日本でも大変な人気があったようです。

もともとは貧しい蠟燭《ろうそく》や、せっけんづくりの家に生まれたフランクリン。12歳で印刷工となり、次々に事業を成功させていくというストーリーが非常に面白く、アメリカの発展のおもとはフランクリンの精神性にあったのだと感じます。公的な利益に尽くす信条やビジネスを成長させるノウハウなども語られています。

▼おすすめ書籍

『プロテスタンティズムの倫理と資本主義の精神』マックス・ヴェーバー／著　大塚久雄／訳　岩波文庫　１９８９年

私が大学生の頃は「必読の古典」と言われていた本です。フランクリンもプロテスタントの家に生まれましたが、禁欲的で勤勉なプロテスタンティズムの社会が資本主義の発展に大きく関わっているとは、一体どういうことなのでしょうか。ヴェーバーはその矛盾を究明しようと、本書を書きました。

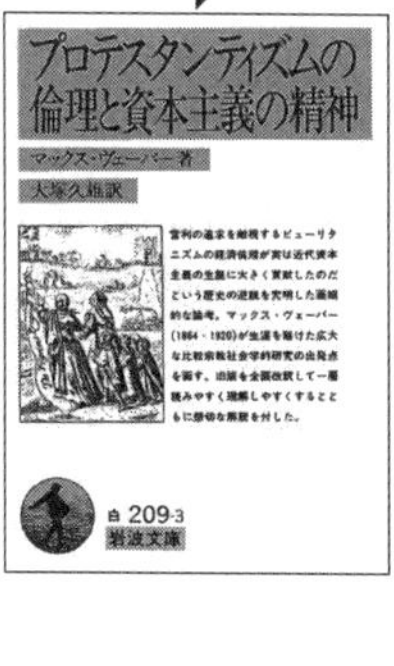

『フランクリン自伝』松本慎一、西川正身／訳　岩波文庫　１９５７年

アメリカ資本主義の父、ベンジャミン・フランクリンの半生の記録です。25歳のときに確立した「十三徳」（「節制」「沈黙」「規律」「決断」「節約」「勤勉」「誠実」「正義」「中庸」「清潔」「平静」「純潔」「謙譲」）をマスターする方法なども面白く、ノウハウ書としても良い本です。

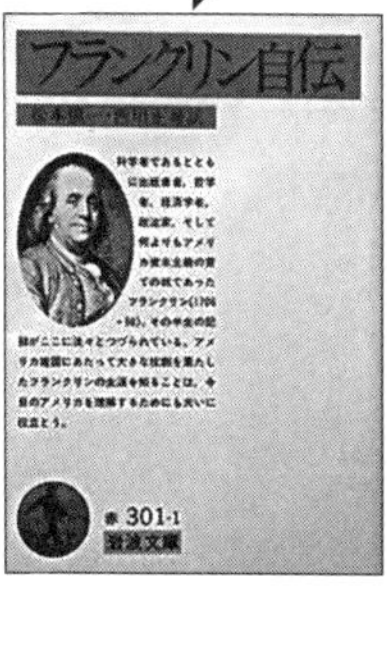

日本の「資本主義の父」、渋沢栄一

日本の「資本主義の父」と言われるのは、渋沢栄一です。渋沢栄一もフランクリンと同じように、倫理観を持って経済活動を行い、国を興そうとしました。

1840年に生まれた渋沢は、幕末から明治期にかけて日本が大きく変化する時代を生きました。農家の長男として生まれたものの、学問、剣術、商いを熱心に学び、実力を買われて武士になり、27歳の頃ヨーロッパへ行きます。パリ万国博覧会に参列する、徳川慶喜の弟・昭武に随行したのです。

1年半にわたってヨーロッパ各国を視察した渋沢は、とりわけ資本主義のシステムに興味を持ちました。それは一言で言えば、銀行を中心にしてお金がめぐる経済のシステムです。

お金を持っている大衆は銀行にお金を預ける。銀行は集めたお金を意欲と能力のある人に貸し、事業を興せるようにする。お金を借りた人は、事業で儲けを出すとともに、利子をつけて銀行に返す。体の中を血液が巡るように、社会にお金が巡ります。その心臓にあたるのが銀行です。

これが資本主義社会なのだと渋沢は理解し、日本が列強と肩を並べるには、資本主義をもとにした経済力をつけなくてはならないと感じたのです。

そして、日本で最初の銀行を設立して銀行のシステムを作り、５００もの企業設立に携わりました。今では当たり前のようにある銀行も会社も、明治初期にはまだなかったのです。まさに、日本の資本主義の父と呼ぶにふさわしい活躍ではないでしょうか。

フランクリンにとっての『聖書』にあたるものが、渋沢栄一にとっての『論語』でした。『論語』を熱心に学んでいた渋沢は、「論語の精神で経済をやる」と決めます。ヨーロッパ視察から帰って、一度は大蔵省の役人になるものの、４年で退官。辞職のときには、同じ役人の友人に「賤《いや》しむべき金銭に目が眩み、官を去って商人になるとは実に呆れる、今まで君をそういう人間だとは思わなかった」とまで言われますが、渋沢は「私は論語で一生を貫いて見せる」と答えるのです。

私は論語で一生を貫いて見せる。金銭を取り扱うが何ゆえ賤しいか。君のように金銭を卑《いや》しむようでは国家は立たぬ。官が高いとか、人爵《じんしゃく》が高いとかいうことは、そう尊《とうと》いものでない。人間の勤むべき尊い仕事は到る処にある。官だけが尊いのではない（以下略）

（『論語と算盤《そろばん》』渋沢栄一／著　KADOKAWA／角川ソフィア文庫　2008年　より引用）

一般には、論語と経済はかけ離れているように思われます。

論語にはお金儲けの話はありませんし、むしろ、顔回《がんかい》という優秀な弟子は、学問が好きだけれど貧しいあまりに短命だったりします。富を求めない姿勢を立派だとするところがあるわけです。

しかし渋沢は、この論語を経済に引き付けて考えました。そうして生まれた経営哲学をまとめたのが『論語と算盤』です。この本を読むと、経済の発展のためには倫理観を持ってやることが大事なのだということがわかります。

資本主義の父と言われるフランクリンと渋沢栄一が、それぞれに『聖書』と『論語』というよりどころを持ち、公共心を持って経済を発展させていったのは興味深いことです。

私はこの2人をセットで学び、現代のビジネスや人生に活かしてもらいたいという考えから『渋沢栄一とフランクリン』という本も書いています。気になった方はこちらも読んでみてください。

▼おすすめ書籍

『論語と算盤』渋沢栄一／著　KADOKAWA／角川ソフィア文庫　2008年

タイトルからして難しそうに感じる人もいるかもしれませんが、渋沢栄一の訓話を集めたものであり、非常に読みやすいです。本書は各章のポイントが最初に示されており、おおまかにつかんでから読むことができるようになっています。

『渋沢栄一とフランクリン』齋藤孝／著　致知出版社　2016年

時代も国も違う2人の偉人の足跡をたどりながら、フランクリンの『聖書』、渋沢栄一の『論語』にもとづく哲学を紹介しています。さらに、現代を生きる私たちが学べる具体的な仕事術も。『フランクリン自伝』や『論語と算盤』と一緒に読んでいただければと思います。

投資術の本を読んでみよう

お金について学ぶなら、「投資」も一つのテーマでしょう。

実際に投資をするのは、センスや経験が必要なところがあって、すべての人がチャレンジできるとは限らないと思います。失敗して借金まみれになった人も少なからず知っていますし、簡単にはすすめられません。

ただ、投資の本を読むのは面白く、学びがあります。なぜなら、現代社会や経済について、いろいろなことがわかるからです。

たとえば『資本論』を読んで、資本主義社会について理解するところがあったとしても、お金儲けの方法が書かれているわけではありません。それに古い本ですから、現代にそぐわないところもあるでしょう。教養のバランスを取る意味でも、投資術などの新しい本を読んで、現代の経済の動きについて知ることは大事なのです。

大成功した投資家としてまず思い浮かぶのは、ウォーレン・バフェットです。

90歳を過ぎた現在も投資家として活躍しており、2022年の世界富豪ランキングでは5位。個人資産が10兆円を超えているというのですから驚きです。

バフェットは、世界中の投資家のみならず経営者からも尊敬されており、「投資の神様」や「オマハの賢人（オマハとはアメリカ合衆国ネブラスカ州の地名で、バフェットは長年ここに住んでいる）」と評されています。

バフェットの投資哲学は、投資をやらない私も非常に興味深く、勉強になると感じます。

まず、バフェットの投資の先生は、ベンジャミン・グレアムという投資家です。

グレアムは自身の投資理論と手法を『賢明なる投資家』（パンローリング）という本にまとめているのですが、この本は刊行後ベストセラーとなりました。バフェットもこの本に感銘を受けたのち、コロンビア大学で教鞭をとっていたグレアムから直接教わることになりました。

グレアムの投資術は「バリュー投資」（「シケモク理論」とも呼ばれる）というものです。

バリュー投資とは、一言で言えば「株を安く買って高く売る」手法。これをするためには詳細な財務分析を行い、企業の本質的価値を見極めることが大事だと説いています。

バフェットは大学で会計学を熱心に学びました。会計学に精通することによって、財務諸表からさまざまなことを読み取り、投資の判断ができるようになったのです。

バフェットがグレアムから学んだ投資の鉄則は、次の3つです。

・企業の一部を所有するつもりで買う
・安全マージン（安全域）を利用する
・マーケットは主人ではなくしもべである

（『マンガでわかる　バフェットの投資術』濱本明／監修　ループスプロダクション／編　ちゃぼ／イラスト　standards　2021年　より引用）

「企業の一部を所有するつもりで買う」とは、企業の長期的成長を見越して、企業の一部を所有するつもりで株を買うべきだということです。株の値動きだけに注目して行う「投機」とは別物なのです。

「安全マージンを利用する」とは、できるだけリスクを回避するために、たとえ倒産してもすべての資産が株主に還元される際には、株価以上の還元が受けられるような企業に投資することです。なお、安全マージンは企業価値と時価総額の差を計算して求めます。

「マーケットは主人ではなくしもべである」とは、株価の変動に一喜一憂して踊らされてはいけないということです。

バフェットの実践から、企業の分析方法を知る

バフェットはこうした鉄則に忠実に投資を行い、実際に大きな成果を出していました。

しかし、40歳頃からはグレアムの「シケモク理論」から「フィッシャー理論」へと

シフトチェンジしていきます。

フィッシャー理論とは、投資家フィリップ・フィッシャーによる理論で「定性分析」を重視しています。グレアムが重視した「定量分析」は、過去の株価や業績の推移など数字を分析するものです。

それに対し、「定性分析」は事業内容や経営者の資質など、数字に表れないものを評価し、判断材料の一つにします。

たとえば、クレジットカード「アメックス」を発行している世界的企業、アメリカン・エキスプレスが詐欺事件で倒産寸前だったことがあるのをご存じでしょうか。

その名も「サラダオイル事件」。１９６３年、大豆油を販売する企業が、実際には存在しない在庫を担保にして借り入れを行っており、それが発覚して破綻したのです。ここに融資を行っていたアメリカン・エキスプレスは15億ドルもの負債を被りました。倒産の危機に瀕して株価も急落。投資家たちがいっせいに株を売ったのです。

そんな状況の中、バフェットは大口投資をします。なぜなら、実際にレストランや小売店へ赴いて調査をしたところ、お客さんはこれまで通りアメックスカードを使っており、信用は落ちていなかったからです。一時的な下落にすぎないと判断し、700万ドルもの資金を投じました。

これは「定性分析」の一つであり、フィッシャーが実践していたアプローチです。フィッシャーは、実際に企業の顧客や取引先、競合他社などを回ってうわさや評判を聞いていました。財務諸表には表れない周辺情報も判断材料にしたのです。

それまで企業の財務面を重視していたバフェットでしたが、アメリカン・エキスプレスの件をきっかけとして、周辺情報を重視するようになりました。

バフェットの実例や投資哲学は、投資家だけでなく企業で働くビジネスマンにとっても役立つことでしょう。企業を見極める目、本質的な部分を見抜く目を養うことに通じます。

日本の総合電機メーカーで半導体事業に力を入れている東芝は素晴らしい企業です

が、アメリカの「ウエスチングハウス・エレクトリック」の原子力部門を買収したことで大変な危機に陥りました。

買収後1年で巨額の損失が確定し、これ以上損失を出さないために東芝はウエスチングハウスの破綻を選ばざるをえませんでした。これに関連する損失はなんと1兆2000億円を超え、東芝の2017年3月期決算では約9656億円の赤字を計上したのです。

損失が出たあとで「買わなければよかったのに」と言うのは簡単ですが、ウエスチングハウスも買収前は企業価値が認められていました。他にも入札した企業が複数あり、東芝は競争に勝って買収したのです。

こういったことは東芝に限りません。本業とは別に、M＆Aを行って事業を回していく技術はあちこちで求められています。企業の本質的な価値を見抜く目は重要だと言えるでしょう。

日本の投資家・蓄財家として、本多静六《せいろく》がいます。彼は東大教授であり、大富豪でした。働きながら学問をして、東大教授になった人物で、日比谷公園などたくさんの公園を設計・改良したことでも有名です。給料の4分の1を貯金して、株などに投資し、巨万の富を築きましたが、ほぼすべてを寄付した大人物です。

彼の著作からも、お金や資本にまつわる流儀を学びとることができるでしょう。

▼おすすめ書籍

『マンガでわかる バフェットの投資術』濱本明／監修　ループスプロダクション／編　ちゃぼ／イラスト　standards　2021年

マンガ＋丁寧な解説という構成で、とても読みやすい本です。まずはバフェットをおすすめしますが、同じシリーズに、バフェットの師である『マンガでわかる ベンジャミン・グレアムの投資術』もあります。その他ピーター・リンチ、ジム・ロジャーズ、ジョージ・ソロスなど、一通り読むと面白いのではないでしょうか。

『私の財産告白』本多静六／著　実業之日本社文庫　2013年

この本の著者は、投資のコツについて、「安全第一」をモットーに、比較的安全なものを選んでいく、と語っています。他にも『人生計画の立て方』、『私の人生流儀』（どちらも2013年）、『新版 本多静六自伝 体験八十五年』（2016年）など、多数の著作があります。気になるものがあれば、ぜひ読んでみてください。

資本主義の世界をゲームで学ぶ

起業した友人を見ていると、どんな事業であっても最終的にはM&Aの世界に入っていくので感心してしまいます。

買収につぐ買収。これも買ったの？　あれも買ったの？　と驚いているうちに、最終的に売り抜けて100億円以上手にしていたりするのです。思わず「君は本当に資本主義のゲームに強いね」と言ってしまいました。

失敗すれば多額の借金を背負うことになるなど、買収には慎重になるべき側面も多くありますが、資本主義の世界は一種のゲームなのだなと感じます。

私が子どもの頃は、「バンカース」というボードゲームが流行っていました。世界中に愛好家がいる「モノポリー」の日本版として出ていたものです。私も友人とこのゲームでよく遊びました。すごろくのようにダイス（サイコロ）の目でマスを進みながら、土地を買って店を出すなどして、お金をどんどん増やしていくのです。

「モノポリー」は、1935年にアメリカで誕生した歴史のあるボードゲームで、世界選手権も行われています。単純なすごろくではなく、交渉の要素があるのが面白いところです。

たとえば、ホテルを建てるためにはもう少し土地が必要だけれど、その土地は相手が持っている。それでは、いくらなら土地を売ってくれるだろうか？　こちらの持っている別の土地と交換なら了承してくれるだろうか？　そういった条件を考えてコミュニケーションし、進めていくわけです。

「モノポリー」とは独占という意味で、最終的には独占した人が勝ちです。他のメンバーを破産させて脱落させ、最後まで残った人が独占して優勝という、ある意味恐ろしいゲームです。

ぜひ子どもの頃からこのゲームで遊んで、資本主義の恐ろしさを叩きこんでおいていただきたい。私はバンカースで遊んでいたのに、バブル期に蚊帳の外にいて、その後も30歳過ぎまで定職なしという資本主義の最下層にいたので、説得力がないかもしれませんが、恐ろしさについては十分わかるわけです。

たとえば、GAFA《ガーファ》。アメリカの巨大IT企業であるGoogle・Apple・Facebook（現Meta）・Amazonの4社の頭文字をとってそう呼んでいますね。

GAFAの便利さには、なかなかあらがえない感じがします。日本の企業を応援したい、地元の企業を応援したいと思っても、あまりにも便利なのでiPhoneを買ったり、本もKindleで買ったりしてしまう。巨大資本に呑み込まれていくのを感じながら、「これぞまさにモノポリーだなぁ」と思うのです。

現実に不動産を買ったり、企業を買収したりするのはハードルが高いですが、モノポリーのようなゲームでお金や資本に対する感覚を身につけるのはいいのではないでしょうか。

巨大資本による独占は、決して望ましいものではありませんが、現実には進行しています。その本質を理解することは、独占状態を批判し、変革することにも役立つはずです。

また、富とセットでよく語られるものとして、「貧困」があります。貧困層が自立する希望を世界に示したのは、バングラデシュにあるグラミン銀行の創始者、ムハマド・ユヌス氏のマイクロクレジットです。

女性たちを中心に少額の貸付（なんと無担保！）をして、自立したビジネスの手助けをし、貧困撲滅に貢献しました。ユヌス氏は、２００６年にノーベル平和賞を受賞しました。希望の書として、一度自伝を読んでみることをおすすめします。

▼おすすめ書籍とボードゲーム

『ムハマド・ユヌス自伝』（上・下）ムハマド・ユヌス／著　ハヤカワ文庫ＮＦ　２０１５年

低い地位におかれてきた女性たちが、無担保の融資を受けることで小さなビジネスを始め、自信を持っていく様子が描かれています。貧困に立ち向かうユヌス氏の勇気を行動力に感銘を受ける1冊です。彼は、社会問題をビジネス手法で解決する「ソーシャル・ビジネス」の提唱者でもありました。

『モノポリー　クラシック』　ハズブロ　2～6人用　対象年齢8歳以上

歴史もあり世界的に人気のあるボードゲーム。子どもから大人まで楽しめます。「クラシック版」「日本版」「ジュニア版」のほか、人気のアニメやゲームとコラボした商品もあるので、好みのものを探してみてください。交渉術や駆け引きのスキルも身につけられる、資本主義の核心を突く秀逸なゲームと言えるでしょう。

社会保障はネットでざっと確認しておこう

本章の最後に、社会保障についても触れておきましょう。

学校で少し学んだとは思いますが、よく知らないと不安ですね。

ただ、社会保障に関してはインターネット上にしっかり整理された情報が載っています。まずはこれを確認するのがいいでしょう。

たとえば、厚生労働省のホームページにはこう説明があります。

社会保障制度は、国民の「安心」や生活の「安定」を支えるセーフティネットです。「社会保険」、「社会福祉」、「公的扶助」、「保健医療・公衆衛生」からなり、子どもから子育て世代、お年寄りまで、全ての人々の生活を生涯にわたって支えるものです。

（厚生労働省ホームページ「社会保障とは何か」https://www.mhlw.go.jp/stf/newpage_21479.html　より引用）

人が生きていく中では、病気、怪我、出産、失業、貧困、介護、老齢、死亡などいろいろなことがあります。そうしたことが原因で国民の生活の安定が損なわれないよう、一定の保障をしましょうということです。

困ったことがあったら、役所へ行くのが基本です。自分で手続きをする必要があるのです。あまりにも無知で、生活がつらすぎて身動きができない、家を出ることができないということになると悲惨です。生活保護も自分で手続きをしなくてはなりません。ですから、困ったら役所へ行く、誰かに相談するなど、動けるうちに動いてください。

日本は成功した社会主義国？　格差を埋める仕組み

社会保障制度の機能は、主に次の3つです。

① 生活安定・向上機能（人生のリスクに対応し、国民の生活安定を実現）

②　所得再分配機能（社会全体で低所得者の生活を支える）
③　経済安定機能（経済変動の国民生活への影響を緩和し、経済成長を支える）

資本主義社会ではどうしても格差が生まれるものですが、社会保障制度の所得再分配機能によって、ある程度の格差を埋めています。

税金制度にも、所得再分配の機能があります。基本的に、所得の高い人がより多くの税金や社会保険料を納め、所得の低い人はより少ない額の税金や社会保険料を納めます。そして、みんなが等しくサービスを受けられるようにしているのです。

たくさん稼いでいる人は、他の人の分まで支払わなければならないので不公平だと思うかもしれませんが、これによって社会全体のストレスを減らしているわけです。一種の社会貢献だと思ってもらうのがいいですね。

日本は格差を嫌い、平等を良しとする意識が強い国です。見方によっては社会主義的だとも言われます。

バブル崩壊前は「日本は世界で最も成功した社会主義国」と言われたくらいです。

私もよく覚えていますが、1970年代は「一億総中流」という言葉がありました。大多数の日本人が自分は中産階級だと認識しており、国民の所得や生活水準に格差があまりなかったのです。

背景には、「終身雇用」や「年功序列」といった企業の仕組みが受け皿になっていたこともあります。社会保障だけではなく、企業が支えていたのも大きかったのです。多少仕事がなくてヒマでも、本人の成果がなくても、すぐにリストラするようなことはありませんでした。

今はそのような体力があるのは、一部の大企業だけでしょう。

ユニクロやGUを傘下に持つファーストリテイリングが、2023年3月より賃金を最大4割アップするというニュースが話題になりました。他にもロート製薬や日本生命など、複数の大手企業が賃金アップを表明しています。

これまで賃金水準を全然上げてこなかった日本企業ですが、優秀な人材を獲得するため、いよいよ上げざるをえないのです。

しかし、日本企業の大半を占める中小企業にとっては厳しいのが現実です。かといって、安い給与のままでは人材獲得が難しい。そこで、初任給は高く設定するけれども、さまざまな保障の部分は会社で面倒を見ないというかたちが増えてくるだろうと思います。福利厚生を少なくし、フリーランスや契約社員のような雇用形態にするなど、要するに「何かあったときは自分でやってね」ということです。

結局、日本経済は全体的な底上げがなかなか難しい状況です。理由にはいろいろあるでしょうが、これまでの30年間のツケが回ってきているように感じます。

私の大学時代の友人は、その多くが銀行に行きました。とても優秀な人たちでしたが、この30年について言えば銀行が大きな役割を果たしたのかどうか、少しわからないところがあります。あれほど優秀な人材が起業して新たなビジネスにチャレンジしていたら、もう少し違ったのではないか、などと思ってしまいます。そんなことを含め、「この30年は自分たちに責任があるのかもなぁ」と、同世代の人たちと先日反省会をしたところです。

さて、お金と資本主義について学んだあなたは、どんなことを考えるでしょうか。

※次章（第2章）における「イスラーム」「ヤーヴェ」などの用語表記は、『日本人のための世界の宗教入門』（齋藤孝／著　ビジネス社　2016年）を参考にしています。

第2章

宗教

馴染みがなくても身近な存在

日本人は無宗教という言われ方をよくします。特定の宗教を信仰しているという人の割合は少なく、宗教についての知識もあまりないという人も多いでしょう。

しかし、とくに今の時代、宗教を学ぶ意義は大きいのです。


一つの理由は、今の世界で起きていることが、宗教を知るとよくわかるからです。

たとえば、現在ムスリム（イスラーム＝イスラム教を信仰する人）の人口が増えています。世界の宗教別人口を見るとキリスト教徒が最大勢力ですが、アメリカの調査機関ピュー・リサーチ・センターは「2100年にはムスリムが最大勢力になる」と予測しています（2015年発表）。2020年時点でのムスリム人口は約19・5億人（推計）でしたが、今はもっと増えているはずです。

イスラームについてあまり知識がない人は、過激派をはじめ危険なイメージを持っているかもしれません。とくに9・11アメリカ同時多発テロ以降、イスラームに対して怖いという印象を持つ人が多くいます。

しかし実際は、テロ行為をする人はごくわずかです。むしろイスラーム自体は、安定した社会を構成する基盤にもなっているのです。

宗教について学べば、ムスリム人口が増えているという事実に対しても、少し冷静に理解することができます。また、世界が今後どう変化していくのだろうかと考えることができます。

もう一つは、私たちが生きていく上で心の安定を得るためです。

すでに何らかの信仰を持っている人は、それが心のよりどころとなり、たとえば中高年になって死についてリアルに感じるようになったようなときでも、心の平穏を保ちやすいかもしれません。

いずれの宗教も、本質的に心のよりどころとなる力を持っています。

実際に信仰する・しないにかかわらず、それぞれの宗教のよりどころを学ぶことは、心の安定に役立つことでしょう。

まずは全体像を手に入れる

宗教の世界も広いので、まずはマップを手に全体を眺めてみることをおすすめします。宗教の大海原にやみくもにこぎ出《い》でるよりも、地図を手に全体を把握してから、各ポイントに向かうほうが効率的です。そのマップにあたるのが、後述する『図解世界の宗教』のように図解で網羅している本です。

それぞれの宗教の背景や特徴などを比較しながら押さえることができますし、豆知識的な情報も多く入っていて面白く読めます。

本書では紙幅の都合上、図解まではできませんが、ざっくりとしたポイントだけお話ししておきたいと思います。

まず、教養として得ておきたいのは「世界三大宗教」＋ヒンドゥー教、ユダヤ教についての知識です。

世界に多くの信者を持ち、文化や経済にも大きな影響を与えている「世界三大宗教」とは、キリスト教、イスラーム、仏教のことです。なお、イスラームはイスラム教のことですが、イスラームという言葉自体に「教え」という意味が入っていて重複しますので、ここでは本来の発音に近い「イスラーム」と表記します。

□**キリスト教**

・世界で最も普及している。信者数は約24・4億人（２０２０年時点の世界の宗教人口割合に基づき、編集部が推計。以下同）
・創始者はイエス・キリスト
・聖典は『旧約聖書』と『新約聖書』
・唯一絶対の神ゴッドを信奉する一神教。イエスは神の子
・三大教派は、カトリック、プロテスタント、東方正教会

【ここがポイント！】

キリスト教を理解すると、西洋の絵画や文学などもよくわかるようになります。ヨーロッパの歴史はキリスト教なくしては語れないものがあるので、世界史を学ぶうえ

でも外せません。

イエスはユダヤ人で、ユダヤ教徒として生きていました。ユダヤ教は民族救済の宗教であって、根本に選民思想がありますが、そうではなく誰であろうと救われると説いたのがイエスです。

ユダヤ教のあり方を批判したイエスは、ユダヤ教の指導者層に処刑を企てられ、ローマ帝国の総督ピラトに引き渡され十字架に磔《はりつけ》にされます。その後、イエスが生き返って復活したと信じる者たちによって、イエスの教えが広まり、キリスト教を形づくっていきました。

□イスラーム

- 信者数は約19・5億人（2020年時点）。増加している
- 7世紀のはじめ、最後の預言者とされるムハンマドにより誕生
- 聖典は『コーラン（アル・クルアーン）』『ハディース』『旧約聖書』
- 唯一絶対の神アッラーを仰ぐ一神教

・二大宗派はスンニー派とシーア派

【ここがポイント！】

キリスト教、ユダヤ教とルーツは同じです。イスラームではムハンマドが「最後にして最大の預言者」であり、他の預言者（イエス、モーセ、ノアなど）とは格が違うと考えます。

ただし、預言者というのは神の言葉を預かって人々に伝える人のことであり、普通の人です。神はアッラーのみで、人間はすべてしもべだという教えです。

イスラームのアッラーは、キリスト教のゴッド、ユダヤ教のヤーヴェと同じ1人の神です。ですから『旧約聖書』も聖典の一つになっています。

なお、ムスリムが増えているのは、赤道周辺など人口が増えている地域にイスラームの国が多いことが影響しています。

□**仏教**

・信者数は約4・9億人（2020年時点）
・紀元前5世紀頃、ゴータマ・シッダールタ（釈迦）が開祖となり誕生
・経典は、上座部仏教の『阿含経《あごんきょう》』、大乗仏教の『般若経《はんにゃきょう》』『維摩経《ゆいまぎょう》』などさまざま
・神を信奉するのではなく、個人が悟りを得るという考え方
・上座部仏教と大乗仏教の2つの大きな流れがある

【ここがポイント！】

仏教においては「神がいない」というのが大きな特色です。開祖ゴータマ・シッダールタは、35歳のとき菩提樹の下で悟りを開き、ブッダ（目覚めた者）となりました。シッダールタによる「ブッダを目指すための教え」が仏教です。

ブッダが亡くなったあと、仏教教団はいくつかのグループに分かれました。大別すると、ブッダの教えを忠実に守ろうとする上座部と、進歩・改革派ともいえる大衆部《だいしゅぶ》の2つです。

その後、紀元前後に大衆部の影響を受けて大乗仏教が生まれます。上座部仏教は、厳しい修行を通じて自らがブッダになることを目指すのに対し、大乗仏教は出家した修行者だけではなく、大衆の救済も説きます。日本に伝来したのは大乗仏教です。

□ヒンドゥー教

・信者数は約11・6億人（2020年時点）
・仏教成立前のバラモン教が起源。世界で一番古い宗教といえる
・聖典は『ヴェーダ』『ウパニシャッド』『マハーバーラタ』『ラーマーヤナ』など
・多くの神を信奉する多神教
・多くの信者を集めるヴィシュヌ派とシヴァ派がある

【ここがポイント！】

ヒンドゥー教徒の多くはインドにおり、ヒンドゥー教はインドの人々の考え方から習慣、文化、社会構造まで広く行き渡っています。

ヒンドゥー教は一般的に多神教と言われますが、一神教ではないかという見方もあります。神々が変幻自在に姿を変えることがあるため、もとは1人の神なのかもしれません。主要な神は、世界を創造する神のブラフマー、世界を維持する神のヴィシュヌ、世界を破壊する神のシヴァです。ヒンドゥー教では、この世界は「創造」「維持」「破壊」が繰り返されると考えられています。

□ユダヤ教

・ユダヤ人によって信仰されている「民族宗教」。ユダヤ人人口は約1460万人（2018年推計）。イスラエルとアメリカに集中している
・古代からある宗教で、キリスト教、イスラームの源流
・聖典は『ヘブライ聖書』で、キリスト教の『旧約聖書』と同じ
・唯一絶対の神ヤーヴェを信奉し、ユダヤ人はヤーヴェに選ばれた特別な民族であると考える
・世界の金融界、商業界で力を持つ

【ここがポイント！】

「唯一絶対の神ヤーヴェに選ばれた民族が、ユダヤ民族である」という考え方（選民思想）を持っています。ですからユダヤ教は世界中に広がることはなく、信者数もさほど多くありません。

しかし、世界の政治や経済に及ぼす影響力は非常に大きく、ユダヤ教に関する知識も重要です。

ユダヤ人は金融の世界で大きな力を持っていますが、その背景にはユダヤ人差別の歴史があります。キリスト教の世界ではお金が卑しいものとされており、差別されていたユダヤ人がお金を取り扱うようになったのです。また、土地を追われて自国を持たないユダヤ人にとって、世界各地でできる金融業は適していました。

シェイクスピアの『ヴェニスの商人』には、ユダヤ人の高利貸し、シャイロックが登場します。「金を返せなかったら、身体の肉1ポンドよこせ」という恐ろしい高利貸しです。私は小学生のときに読んで、こんな人がいたら怖いと強烈な印象を受けたことを覚えています。これもシェイクスピアによる風刺の一つなのでしょう。

▼おすすめ書籍

『教養として学んでおきたい5大宗教』中村圭志／著　マイナビ新書　2020年

宗教の基本知識がわかりやすく書かれています。同じ著者の『図解 世界五大宗教全史』（ディスカヴァー・トゥエンティワン　2016年）も、図が豊富で非常にためになります。宗教は世界史と密接に関わっているため、文化、政治、経済の「今」を理解したい場合は、主要な5つの宗教だけでも押さえておくと役立つはずです。

『図解　世界の宗教』渡辺和子／監修　西東社　2010年
（※現在は電子版のみです）

五大宗教を概観できる図解＋解説のほか、その他の民族宗教や「日本人と宗教」の章があります。類似の図解本はさまざまなものが出ていますが、私が参照しているのはこちらの本です。手元に1冊あると便利ですよ。あらゆる学問の源流こそが「宗教」であり、この世界の成り立ちに大きく影響していることがわかるでしょう。

聖書を読んでみよう

世界の宗教の全体像をつかんだら、次の段階はそれぞれの聖典に触れるのがいいでしょう。その宗教ではどういうことを信じており、どう教えているのかというのがわかります。

キリスト教であれば、まずは聖書を読んでみてください。「The BOOK」と呼ばれる世界一の歴史的ベストセラーです。読んでいないのは、もったいないというものです。とくに『新約聖書』は1日で読める量ですし、少なくとも「マタイ伝」を読むと一通り理解できるかと思います。

文語訳と口語訳がありますが、音読するには文語訳がおすすめです。「求めよ、さらば与へられん」といった訳です。

口語訳では「求め続けなさい、そうすれば与えられるであろう」となりますが、「求めよ、さらば与へられん」と声に出すほうが気合いが入る感じがしますね。文語特有の韻律と響きの効果があり、イエスが語ったときの魂の叫びが伝わってくる気がするのです。

ここで一つ、やってみましょう。

『求《もと》めよ、さらば与《あた》へられん。
尋《たず》ねよ、さらば見出《みいだ》さん。
門《もん》を叩《たた》け、さらば開《ひら》かれん。
すべて求《もと》むる者《もの》は得《え》、
たづぬる者《もの》は見《み》いだし、
門《もん》をたたく者《もの》は開《ひら》かるるなり。』
（マタイ伝福音書7章7〜8）

「求めつづけなさい、そうすれば与えられるであろう。探しつづけなさい、そうすれば見つかるであろう。門をたたきつづけなさい、そうすれば開かれる。だれであれ、求めつづける者は受け、探しつづける者は見つけ、門をたたきつづける者には開かれる」

（いずれも『声に出して読みたい新約聖書〈文語訳〉』齋藤孝／著　草思社　２０１５年　より引用）

文語体に慣れておらず、読みにくいと感じる方は口語訳でかまいません。

とくに最後のほうを読むときにおすすめしたいのは、バッハの「マタイ受難曲」をBGMにしながら読むことです。ぜひ、カール・リヒターが指揮をしているバージョンの演奏を聴いてみてください。ものすごい迫力で受難のシーンが迫ってきます。

クリスマスの日に、マタイ受難曲を聴きながら新約聖書を読むのもいいでしょう。クリスマスを1人で過ごす「クリぼっち」なんて、少しも怖くありません！　むしろ、外で騒いでいる人たちがいかに見当違いなことをしているかがわかります。私はキリスト教徒ではありませんが、こういう過ごし方をすると文化的に大変豊かな気持ちになれるものです。

▼おすすめ書籍

『声に出して読みたい新約聖書〈文語訳〉』齋藤孝／著　草思社　２０１５年

新約聖書の中からとくに琴線に触れる言葉をピックアップして、文語訳、口語訳、解説を掲載しています。新約聖書のすべてではありませんが、マタイ、マルコ、ルカ、ヨハネの四大福音書をイエスの誕生から受難・復活までを時系列的に並べており、物語も一通り理解できるようになっています。旧約聖書版もあります。

声に出して読みたい新約聖書〈文語訳〉
齋藤孝
人の生くるはパンのみによるにあらず
求めよ、さらば与えられん
時代を超えて生きるイエスの言葉。格調高い文語訳で味わう。

有名な物語がいっぱいの『旧約聖書』

『旧約聖書』は分量が多く、全部読むのは大変かもしれません。「アダムとエバ」「ノアの方舟《はこぶね》」「バベルの塔」など、有名な物語をピックアップして読むのでもいいと思います。本書でもいくつかピックアップして、ポイントだけ解説します。

□アダムとエバ

「創世記」は「はじまりの書」とも呼ばれ、神の天地創造から始まります。

神はまず「光あれ！」と言って光と闇を作り出しました。２日目に「空」、３日目に「大地、海、植物」、４日目に「太陽と月と星」、５日目に「魚と鳥」、６日目に「獣と家畜」、さらに「神は自分をかたどって、土の塵《ちり》で人を造り、命の息をその鼻に吹き入れ」て最初の人間であるアダムを作りました。７日目、神は休息します。この安息日と１週間のリズムは、社会に大きな影響を与えることになります。

その後、神はアダムにパートナーをやろうと、アダムのあばら骨の一つを抜き出して女の形を造ります。これがエバです。

アダムとエバは蛇にそそのかされて、禁断の知恵の実を食べてしまいます。そして自意識が生じて、自分たちが裸であることを恥ずかしく思うようになります。神は善悪を知り、神の一人のようになったアダムとエバを楽園から追放します。

□ノアの方舟

「創世記」の中に登場する、非常に面白い物語です。

神が人間の堕落に怒り、「大洪水を起こすから方舟を作るように」とノアに告げます。ノアは家族とすべての動物の雌雄ペアを方舟に乗せ、40日間続いた洪水の間と、その後も水がひかない間を方舟で過ごします。ハトを放って戻ってこないのを確認したあと、水が乾いて方舟から出られるようになりました。

実はこの話の元ネタは、古代メソポタミアの文学『ギルガメシュ叙事詩』の中にある洪水の話であるようです。粘土板に楔形《くさびがた》文字で書かれた物語に、ノアの方舟の話によく似たものがあったのです。これを知ってキリスト教社会の人々は衝撃を受けました。

□バベルの塔

大洪水のあと、ノアの子孫たちは、民族の分散を免れることを願って天に届くような高い塔を建設します。

ところが、これが神の怒りに触れます。「彼らはみな1つの言葉を話しているから、こんな塔を作り始めたのだ」と、神は言葉をバラバラにします。そして、混乱した人間たちは塔の建設をやめ、各地へ散らばっていくのです。

ブリューゲルの絵画「バベルの塔」が日本に来たとき見に行きましたが、本当に素晴らしい作品でした（2017年　東京都美術館「ボイマンス美術館所蔵　ブリューゲル『バベルの塔』展　16世紀ネーデルラントの至宝―ボスを超えて―」）。

漫画家の大友克洋さんが、このブリューゲルの作品をベースにバベルの塔の内側を描いた《INSIDE BABEL》も感動しました。こういった絵画作品も、物語を知っているとさらに深く感じるものがあります。

□出エジプト

『旧約聖書』の2番目の書が「出エジプト記」です。モーセがエジプトで奴隷状態になっていたイスラエルの民を解放し、約束の地カナンへ連れて帰るという物語が中心です。

エジプトでイスラエルの民が増えすぎたことを恐れたエジプト王（ファラオ）は、イスラエル人の男の子が生まれれば、ナイル川に投げ込めと命令していました。

モーセもそんな中で生まれました。川の茂みに置き去りにされていた赤ん坊のモーセを、水浴びに来ていたエジプトの王女が見つけて、かわいそうに思ってひそかに育てることにします。

なんとモーセは、エジプトの王子として育てられることになったのです。英雄モーセは登場シーンからドラマチックですね。

成人したモーセに、あるとき神から使命が与えられます。イスラエルの民をエジプトから導き出し、カナンへ連れて行くというものです。モーセはファラオを説得するため、エジプトにさまざまな災いをもたらします。

さすがにファラオもイスラエルの民の出エジプトを認めたのですが、考え直して自軍を率いて追ってきます。背後にエジプト軍、眼前には海という絶体絶命の状況で、モーセは神に祈りを捧げて、海を2つに割ります。有名なシーンです。

このモーセの話は、映画などで繰り返し描かれています。

私のおすすめは、チャールトン・ヘストン主演の「十戒」です。海が真っ二つに分かれて道ができるシーンが派手で、面白いのです。「十戒」を観ると、「出エジプト記」がよくわかると思います。

▼おすすめ書籍と映画

『ビジュアル図解　聖書と名画』　中村明子／著　西東社　2016年

旧約・新約聖書の有名なシーンを描いた名画によって、パッと聖書の世界に入ることができます。『最後の晩餐』『受胎告知』など、みなさん一度は目にしたことがある名画が、計114点も収録された、網羅性のある1冊です。解説もとてもわかりやすく、お子さんと一緒に絵を見て楽しむこともできるでしょう。

「十戒」　セシル・B・デミル／監督　チャールトン・ヘストン／主演　アメリカ　1956年

『旧約聖書』の「出エジプト記」を原作にして作られた、歴史スペクタクル映画です。モーセがイスラエルの民を率いて海を割るシーンは迫力があり、強い印象を残します。220分の超大作ですが、主演のチャールトン・ヘストンがとにかくかっこいいので、ぜひ一度観てほしいですね。

ブッダのことばを読む

仏教の経典は何を読んだらいいでしょうか。仏教にはあまりにも豊かな歴史がありますから、後から作られた経典も多く、選ぶのが難しいところです。

仏教経典は「かくのごとく、我聞けり」という意味の「如是我聞《にょぜがもん》」から始まります。「このように、私は聞きました」ということの文言から始めれば、お経として一応成立するというルールがあります。ですから、ゴータマ・ブッダが亡くなって１０００年経っても、新たな経典ができてしまうのです。

そこで、元のブッダの言葉に戻ることをおすすめしたいと思います。

基本となるのは「スッタニパータ」と「ダンマパダ」。この2冊を押さえれば、大筋がわかります。「スッタニパータ」は最も古い聖典で、ゴータマ・ブッダのことばに最も近い詩句を集めたものと言われています。一つひとつが短い言葉で、全部で１１４９あります。

「スッタニパータ」を訳した『ブッダのことば　スッタニパータ』を少し見てみましょう。たとえば「犀の角」（第一「蛇の章」の三）はこのように始まります。

三五　あらゆる生きものに対して暴力を加えることなく、あらゆる生きもののいずれをも悩《なや》ますことなく、また子を欲するなかれ。況《いわ》んや朋友《ほうゆう》をや。犀《さい》の角《つの》のようにただ独《ひと》り歩《あゆ》め。

三六　交《まじ》わりをしたならば愛情が生ずる。愛情にしたがってこの苦しみが起る。愛情から禍《わざわ》いの生ずることを観察して、犀の角のようにただ独り歩め。

（『ブッダのことば　スッタニパータ』中村元／訳　岩波文庫　1984年　より引用）

犀の角が1つしかないように、周囲にまどわされることなく、1人でも悟りへの道を進みなさいという教えです。このあとも「犀の角のようにただ独り歩め」が繰り返されますが、その中には「賢明で協同し行儀正しい明敏な同伴者」を得たなら、彼とともに歩むのがいいが、愚かな人と一緒に行くくらいなら1人で歩んだほうがいい、といった内容の言葉も出てきます。

「ダンマパダ」は、ゴータマ・ブッダが人々に説いた、生きる指針とでも言うべき詩句を集めた書物で、最も有名な聖典と言われています。「ダンマ」とはパーリ語で「真の生き方」、「パダ」は「言葉」ですから「真理の言葉」という意味です。こちらは423の言葉があります。

一　ものごとは心にもとづき、心を主とし、心によってつくり出される。もしも汚れた心で話したり行なったりするならば、苦しみはその人につき従う。――車をひく（牛）の足跡に車輪がついて行くように。
二　ものごとは心にもとづき、心を主とし、心によってつくり出される。もしも清らかな心で話したり行なったりするならば、福楽はその人につき従う。――影がそのからだから離れないように。
（『ブッダの真理のことば　感興のことば』中村元／訳　岩波文庫　1978年　より引用）

こうやって見てみると、ゴータマ・ブッダの言葉はとても理解しやすいですね。「ダンマパダ」は非常に短いものですから、すぐに読めます。岩波文庫の『ブッダの真理のことば　感興のことば』は「感興のことば」（ウダーナヴァルガ）と併せておさめられていますが、「ダンマパダ」だけなら60ページ程度です。あまり読まれていないのが不思議なくらいです。

あらゆる宗教に共通しているテーマは、「苦しみのある世界でどう生きるか」ということでしょう。仏教では、執着や欲望をなくせば苦しみから解放されると説きます。苦しみは執着から生まれるのです。そして、苦しみから解放されたら、生まれ変わりを止めることができる。輪廻《りんね》の輪から抜け出せるという考え方は仏教の特徴です。

輪廻を本気で信じるのは難しいにしても、苦しみが執着から生まれるというのはよく理解できることだと思います。

たとえば、推しのアイドルが誰かとお付き合いしていることがわかって、ショックを受けた人がいるとしましょう。裏切られたような気持ちになったり、相手の人に嫉妬したりと苦しみます。執着しているからです。そのため、「別にそのアイドルのことは何とも思っていない」と執着を手放せば、苦しみから解放されるわけです。

実際、買い集めたグッズを粉々にしている人の映像がインターネット上に流れているのを見ました。数十万円、数百万円をかけて追いかけていたのです。ものすごい金額のグッズを粉々にして、ようやく解き放たれたという感じでした。推しがいる生活は悪くないのですが、行き過ぎてしまうと不都合が生じてきます。私の知る学生でも、推しにお金をつぎ込み過ぎて、食費をギリギリまで切り詰めているという人がいます。ブッダの言葉に触れれば、「そこまでやりすぎてしまうのは良くない、心を整えよう」という気になるでしょう。

ただ、執着や欲望を捨てるというのは寂しいものでもあります。「夢中になって追いかけていたときは楽しかったな」と感じることもあるかもしれません。

仏教は、はじめはちょっと寂しさを感じ、やがて安らかになる宗教なのです。

▼おすすめ書籍

『ブッダのことば　スッパニタータ』中村元／訳　岩波文庫　１９８４年

数多くある経典の中でも最も古いとされる「スッパニタータ」を訳している本。ゴータマ・ブッダが説いた「人として歩むべき道」が短い言葉や対話としてまとめられています。仏教思想の源流がどのようなものであるかがわかる本です。

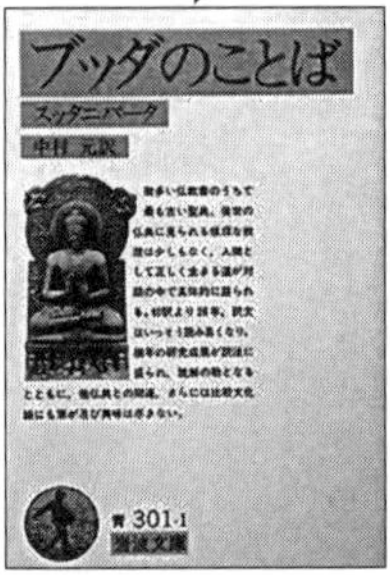

『ブッダの真理のことば　感興のことば』中村元／訳　岩波文庫　１９７８年

有名な経典「ダンマパダ」を訳した「真理のことば」と、ゴータマ・ブッダが感興をおぼえた時にふと口にした言葉という意味の「ウダーナヴァルガ」と訳された「感興のことば」が収められている本です。『ブッダのことば』と併せて、ぜひ読んでみてください。

イスラーム社会がわかる『コーラン』

イスラームの聖典は『コーラン』です。

１１４の章から成る『コーラン』には、『聖書』のような物語性はありません。戒律のような言葉が綴られています。生活のさまざまなことについて、「こうしなさい」と細かく神が命令を出しているのです。

食事や礼拝など日々の生活のことから、商取引について、結婚について、離婚について、遺産相続について、盗みや殺人の罰についてなど、あらゆることに細かい指示があります。イスラームは宗教ですが、行動様式であり、イスラーム社会全体の法体系でもあるのです。「信仰＋行動様式＋法体系＝イスラーム」と考えると理解しやすいでしょう。

『コーラン』を読むと、礼拝は1日5回メッカに向けて行うとか、豚肉やお酒は禁止など生活規程が厳しい印象を受けると思います。

ただ、それだけではなく「お金を貸したときには利息をとってはいけない」とか、「離縁された女にも公正に扶養の道を考えなくてはならない」など、良い考えだなと思うものも多くあります。

また、イスラームではアッラーが唯一絶対の神であって、人間は等しく神の奴隷であり、特権階級はないのが特徴です。基本の考え方としては、教会も聖職者も存在しませんし、開祖のムハンマドですら特別な存在ではありません。人間はみな平等なのです。

それは「神の前の平等」であって、欧米で花開いた近代国家の「法の下の平等」とは違うのですが、7世紀にすでに平等の概念を唱え、実行に移していたイスラームの先進性に気づかされます。

日本人で『コーラン』を読んだことのある人は少ないと思いますが、教養として一度目を通してみてはいかがでしょうか。イスラーム社会について理解しやすくなるはずです。

ひたすら細かいルールを読んでいても面白みに欠けるのでは……と思うかもしれませんが、声に出して読むとそのリズミカルな文章に驚かされるでしょう。

『コーラン』の原語、「クルアーン」は、読誦《どくしょう》（読まれるもの）を意味します。声高に朗誦《ろうしょう》することで、言葉が体に刻み込まれるような感覚があるのです。大勢で読誦すれば、音楽のようでもあり、合唱のようでもあり、一体感も生まれて気持ちが高まるはずです。

メッカの商人だったムハンマドは、文字が読めなかったとも、文章が得意ではなかったとも言われています。

あるとき、瞑想をしていたムハンマドの前に天使が何か書かれた布を持ってきて、「誦《よ》め！」と言います。ムハンマドは「誦めません」と応じたのですが、天使は「誦め！誦め！」と命じ続けます。やがて、ムハンマドは神の言葉を誦んだといいます。

そうした言葉を周りの人たちが記憶し、書き留めることで『コーラン』がかたちづくられていきました。

▼おすすめ書籍

『コーラン』（上・中・下）　井筒俊彦／訳　岩波文庫　1957～1958年

イスラーム社会を深く知る哲学者の井筒俊彦先生による口語訳で、『コーラン』が読めます。アラビア語の『コーラン』の朗誦にふさわしいリズミカルな文体を日本語の口語訳にする苦労は、ひとかたならぬものだったでしょう。聖典に触れるのが初めてという方でも、イスラームにおける根本的な感覚がしっかりと理解できます。

『イスラーム基礎講座』　渥美堅持／著　東京堂出版　2015年

イスラームの歴史、考え方から行動習慣、そして国際情勢まで幅広く、しかも詳しく書かれています。「沙漠で生まれたアラビア的民主主義」、「部族意識からイスラーム意識の定着」など、小項目の見出しが魅力的です。圧倒的な情報量が担保されているため、幅広いニーズに応えることができる1冊です。

ヒンドゥー教は意外と親しみやすい

ヒンドゥー教は、日本人の私たちにとってかなり縁遠いと感じる人が多いのではないでしょうか。ヒンドゥー教はどんな宗教ですか？　と聞かれて、答えられる人は少ないのではないかと思います。

しかし、実はヒンドゥー教の神々は日本に入ってきており、知らず知らずに親しんでいます。少なからず影響を受けているのです。

たとえば、七福神の一人でもある弁財天は、もとをただせばヒンドゥー教の女神サラスヴァティーです。サラスヴァティーはヴィーナーという弦楽器を弾いていますが、日本の弁財天は琵琶を手にしていますね。

一般に日本古来の神様だと思われている大黒天も、実はヒンドゥー教のシヴァ神であるようです。シヴァ神の別名「マハーカーラ」を直訳すると、「マハー」が「大きな」で「カーラ」が「黒」だから「大黒」です。

また、「護摩焚《ごまた》き」といって、護摩木を焚いてお供え物を燃やし、煩悩を焼きつくし、招福や開運などを本尊に祈願する儀式（主に真言密教）や、仏前や墓前に花や団子を供えることのルーツはヒンドゥー教にあると言われます。

このように、日本で親しんでいる神様や習慣とヒンドゥー教には、意外と共通点がたくさんあります。ヒンドゥー教についての本を1冊読んでみると面白いのではないでしょうか。

さて、聖典で言えば、私は『バガヴァッド・ギーター』をおすすめします。

全18巻から成る古代インドの壮大な叙事詩『マハーバーラタ』の第6巻で、最も有名な場面であり、ヒンドゥー教のエッセンスが凝縮したともいえる部分が独立してできたものです。ヒンドゥー教最高の聖典と言われています。

『バガヴァッド・ギーター』は、バーラタ族が二分して戦う戦争の話です。戦場で、同族を殺すことをためらうアルジュナ王子に対し、彼の導き手であるクリシュナ（ヴィシュヌ神）は終始「戦え！」と言います。

この2人の対話で物語が進んでいくのですが、勝ち負け、成功と失敗、結果とプロセスというような現代人の悩みにも通じる課題がいくつも出てきます。

たとえば、アルジュナ王子は「どちらが勝つのが良いのかわからない」と悩みます。それに対しクリシュナはこう答えます。

あなたの職務は行為そのものにある。決してその結果にはない。行為の結果を動機としてはいけない。また無為に執着してはならぬ。
（『バガヴァッド・ギーター』上村勝彦／訳　岩波文庫　１９９2年　より引用）

物語としても面白く、共感しながら読むことができるでしょう。

▼おすすめ書籍

『ヒンドゥー教――インドの聖と俗』森本達雄／著　中公新書　2003年

ヒンドゥー教について教養を深めるなら、こちらの本がおすすめです。ヒンドゥー教の世界観を、日常の風景のわかりやすいところから丁寧に読み解いています。ヨーガに馴染みのある人は、「解脱に向かって」のヨーガの部分を中心に読むだけでも面白いのではないでしょうか。

『バガヴァッド・ギーター』上村勝彦／訳　岩波文庫　1992年

古代インドの大叙事詩『マハーバーラタ』に編入されている、最も有名な聖典が『バガヴァッド・ギーター』です。ヨーガについてなど、ヒンドゥー教の世界観についてある程度知識を持ったうえで読むと、さらに良いでしょう。

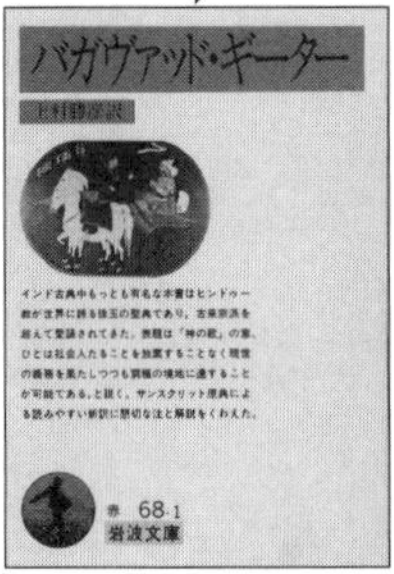

日本の仏教：空海と親鸞

仏教が日本に伝来したのは6世紀半ば頃。もともとサンスクリット語やパーリ語で書かれていた仏典が漢訳されて中国に広がり、中国を経て日本にも入ってきたのです。漢訳されたからこそ日本にも仏教が取り入れられたのですが、一方で、漢文を音読みしたりするうち呪文のようになってしまったという悲劇もあります。お経はなんとなくありがたいけれど、意味がよくわからないという人がほとんどなのではないでしょうか。

先に見たように、もともとのゴータマ・ブッダの言葉は理解しやすい普通の言葉です。普通の日本語に訳すことができます。しかし、いろいろ経由して訳されていくうちに、難解になってしまったわけです。

漢訳された時点で中国流の仏教となっているし、日本に伝わったあとは神道も混ざるしで、日本の仏教は本来の仏教とは違う性質を帯びることになりました。これも日本人のおおらかさからで、良い面もあります。

いくつか見てみましょう。

平安時代の初期に仏教の基礎を築いたのは、天台宗の最澄と真言宗の空海です。空海は弘法大師とも呼ばれ、有名ですね。

空海自らが般若心経について語っている書物があります。『般若心経秘鍵《はんにゃしんぎょうひけん》』、すなわち般若心経の真意を読み解く秘密の鍵という意味で、これがとても面白い。般若心経といえば、一般には最初のほうに出てくる「色即是空《しきそくぜくう》　空即是色《くうそくぜしき》」が重要な部分としてよく取り上げられます。「空」について説いているのだという認識です。

ところが空海は、最も重要なのは最後の「ぎゃてぃ　ぎゃてぃ　はらぎゃてぃ　はらそうぎゃてぃ　ぼじそわか（羯諦羯諦　波羅羯諦　波羅僧羯諦　菩提薩婆訶）」だと言います。その前は前置きで、大事なのはマントラ（呪文）なのです。真言宗の「真言」とはマントラのことです。空海はマントラをとても大事にしたのです。

鎌倉時代には、浄土宗の開祖である法然の弟子、親鸞が浄土真宗を開きました。親鸞が強調したのは「他力本願」です。阿弥陀如来の力を信じて、念仏を唱えなさいと説きます。親鸞の言葉を弟子の唯円がまとめた『歎異抄《たんにしょう》』を読むと、他力というのも宗教の本質なのではないかという気がします。

他力というと、自分で努力をせずに、問題の解決や願い事の成就を阿弥陀様に丸投げするようですが、そうではありません。「自分のはからいではなく、阿弥陀仏の本願のはたらきにお任せする」という意味です。

阿弥陀仏の本願は、老いも若きも善人も悪人も、分け隔てなくすべての者を救うことです。そして、本願を信じるためには念仏を唱えればよい、というのです。

『歎異抄』で最も有名なのは、「善人なほもて往生をとぐ。いはんや悪人をや」、つまり「善人でさえ浄土に往生できるのだから、まして悪人はいうまでもない」という教え（悪人正機）です。

ここで言う「悪人」は、煩悩にまみれて修行などとてもできない私たちのことです。自力で修行して悟りをひらくことができる人には、阿弥陀様は救いの手を差し伸べる必要がないけれど、どうやってもこの世で悟ることができなさそうな人たちのことを、阿弥陀様はあわれに思い、救いとろうとされるのです。

ゴータマ・ブッダの教えは「自力」です。修行によって執着を捨てなさい、自分で自分を整えなさいというものでした。ただ、『歎異抄』を読むと、「自分で、自分で」と思っているよりも、「何かのはからいなのだ」と思うほうが生きやすいなとも思うのです。

自分の限界を感じて、神様や阿弥陀様にお預けする、明け渡すことで落ち着きを得るというのは宗教的に重要なことなのでしょう。

▼おすすめ書籍

『空海「般若心経秘鍵」ビギナーズ　日本の思想』空海／著　加藤精一／編　KADOKAWA／角川ソフィア文庫　2011年

かの有名な空海が般若心経の解説をしているという豪華さ。ぜひ、空海の講演を聴いているつもりで読んでみてください。短いものですので、苦労せず読み通せると思います。本書はわかりやすい口語訳と、解説がついています。

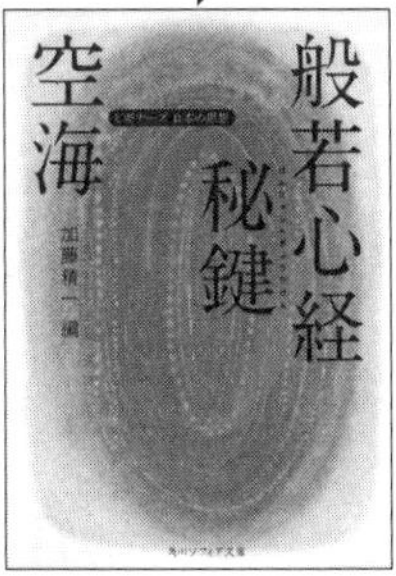

『歎異抄』梅原猛／著　講談社学術文庫　2000年

師である親鸞の苦しみや悩み、そしてその信仰の核・エッセンスについて、弟子の唯円が綴った聖典が軸となっています。丁寧で深い解説と現代語訳によって、親鸞の考えがよくわかります。日本人の思想を研究した梅原猛の世界観に触れられるため、和のこころや精神性を探究することもできる良書です。

危険な宗教とマインド・コントロール

世界の五大宗教を中心に見てきましたが、宗教は他にもさまざまあります。中には、危険な宗教団体も存在します。

1995年に地下鉄サリン事件を起こしたオウム真理教もそうですが、直近のニュースで言えば、旧統一教会問題が日本中を揺るがしました。

きっかけとなったのは、2022年7月8日に安倍晋三元首相が暗殺されたことです。山上容疑者は、家族を崩壊させた統一教会（現・世界平和統一家庭連合）に恨みを持っており、安倍元首相が教団とつながりがあると感じたことで犯行に及びました。

この事件を契機に、教団と政治との関係が取りざたされ、これほどまでに議員の中に統一教会の影響が広がっていたのかと多くの国民が驚いたのです。今の時代に首相が暗殺されるということはもちろん、与党がそれほど簡単にカルト宗教団体の影響を受けていたということもショッキングな事件でした。

統一教会は、以前から高額献金、霊感商法、児童虐待などの問題が指摘されていました。被害に遭っている人は多くいたのです。

しかし、日本はこれまでカルト宗教を規制する法整備にあまり積極的でありませんでした。それが、この問題をきっかけに少し事態が動いています。

小川さゆりさんという宗教2世当事者の方が顔を出して被害を訴え、被害者救済法案成立に向けて働きかけました。こういった勇気ある行動が、法整備につながっていくところに注目したいと思っています。

自民党内の調査のみで何となく終わるのではなく、きちんと政治に影響していくことが大事なところです。

それにしても、旧統一教会やオウム真理教のような危険性を持つ宗教団体が、なぜそれほど信者を集めてしまうのでしょうか。

そこにはマインド・コントロールの手法があります。

元統一教会信者で、脱洗脳後はカルトのマインド・コントロール状態におかれた人へのカウンセリングを行っているスティーヴン・ハッサンの著書『マインド・コントロールの恐怖』（浅見定雄／訳　恒友出版　1993年）によると、マインド・コントロールには4つの構成要素があります。

1．行動コントロール

個々人の身体的世界のコントロール。メンバーは達成すべき特定の目標や仕事を割り当てられ、自由時間と行動を制限される。

2．思想コントロール

徹底的な教え込みをして、そのグループの教えと新しい言語体系を身につけさせ、自分の心を「集中した」状態に保つため思考停止の技術を使えるようにする。

3．感情コントロール

人の感情の幅を、たくみな操作で狭くしようとする。とくに罪責感と恐怖感が使われる。自分自身を責めるように仕向け、グループからの離脱を考えるだけでパニックになるような恐怖を感じさせる。

4．情報コントロール

カルトに対する批判的情報にふれさせず、情報をコントロールする。次元の違う「真理」を用意し、メンバーが疑問を持つと「まだ成熟していないからわからないが、やがて明らかになる」と諭すなどして、本人が客観的な評価をできないようにしてしまう。

実際にマインド・コントロールをされてしまうと、そこから抜け出すのは非常に難しくなります。スティーヴン・ハッサンは、「私たちはみんな弱いのだ」という認識を持つこと、はじめの関わりを持たないことが大事だといいます。

そして、早期発見と対処が重要です。カルト宗教がやりがちな手法について情報を持っておくことは助けになるでしょう。

残念ながら本書は絶版で手に入りにくいようですが、マインド・コントロールについて書かれた本はいろいろありますので、探してみてください。

第3章

哲学・思想

問いを立てることから人生が始まる

哲学は暇人のするもの？

哲学は、暇人のするものだという言われ方をすることがあります。「問いを立てては考える」、そのことを楽しむいとなみだからです。

実際、私たち人間は暇を持て余しているという見方もできるでしょう。哲学は最高に有意義な暇つぶしです。Netflix・YouTubeと並んで、大いに暇を吸収してくれるものです。

とは言え、忙しいなら哲学を学ばなくていいということでもありません。哲学・思想は教養の柱のような存在です。昔の旧制高校では哲学が必須でした。デカルトやカントについて語れないと、相手にされないというくらいです。現代では、哲学の議論を日常的にすることはあまりないかもしれません。

しかし、教養として大枠をとらえておくことは人生に役立つはずです。

哲学は、いわばニュースの対極です。私という存在は、そもそもどういうものであるのか。そもそも〇〇は何なのか。「そもそも」という根本的なところに立ち返って考えるのが、哲学・思想です。

大量の情報にさらされ、変化のスピードが速い現代では、自分を見失いそうになるのもよくあること。そんなときは一度出発点に戻る、根本に立ち返ることで思考がスッキリし、気持ちも落ち着きます。

哲学とは知を愛すること：ソクラテスの考え方

本書では、とくに有名な哲学者をピックアップしつつ、思想の流れをざっと見てみたいと思います。

有名な古代ギリシャの哲学者として思い浮かぶのは、ソクラテス（前469～前399年）でしょう。ソクラテスは書物を残さなかったので、弟子のプラトンが書いた対話篇によって彼の哲学を知ることができます。

有名な『ソクラテスの弁明』は、ぜひ読んでおきたいものです。複数の出版社から書籍が出ています。

ソクラテスはある日、友人から「アテナイにはソクラテスより賢い者はいない」という神託があったことを聞き、「自分は何も知らないのになぜ賢いのか？」と不思議に思います。

そして、ソフィストという、弁論術や自然科学を人に教えて報酬を得ている知者たちに話を聞きます。彼らはものを知っているように思っているのですが、ソクラテスと話しているうちによくわからなくなってしまう。

そこで、ソクラテスは気づくのです。「知っていると思っていながら知らないよりも、知らないとわかっている自分のほうが賢いのではないか」。これが有名な「無知の知」です。

ソクラテスは、自分は産婆であると言いました。問いかけをして、知の探究を引き出すということです。ソフィストたちが、家庭教師として教えるのとは違います。

たとえば、相手が「正義とは〇〇である」という話をしているのに、問いかけをすると「あれ？　よくわからない」と驚く。それこそ知を愛することの始まり、フィロソフィアだよとソクラテスは言うのです。

哲学は英語でフィロソフィー（philosophy）。原語は、ギリシャ語のフィロソフィア（philosophia）です。もともとは、「知を愛する」という意味の言葉です。

私たちも「そうか、何もわかっていなかったな」と驚くようなときがありますよね。「本当は何なのだろう」、そう思う瞬間が知を愛する瞬間、すなわち哲学の始まりです。

ということは、いくら哲学を勉強しても、気づきがないのなら「哲学していない」ことになります。驚きや気づきがないのなら哲学者ではないのです。

逆に、あらゆることに驚き続けている人がいるなら、その人は哲学者的生き方をしているのです。

▼おすすめ書籍

『哲学用語図鑑』田中正人／著　斎藤哲也／編・監修　プレジデント社　2015年

西洋哲学の全体像を確認するのにも、哲学用語を調べるのにもいい本です。図解でわかりやすく説明してくれています。『続・哲学用語図鑑』（2017年）には中国や日本の思想、英米の分析哲学も載っていますので、併せて持っておくと良いのではないでしょうか。

『饗宴』プラトン／著　中澤務／訳　光文社古典新訳文庫　2013年

ソクラテスをはじめとする6名の才人たちが、即席でエロスを賛美する演説を次々にしていく内容です。演説という形での思考文化があったことに驚きます。みんなで語り合う哲学のあり方が、今を生きる私たちから見ても、魅力的です。イデア論など、哲学における重要な概念も登場し、解説も充実しています。

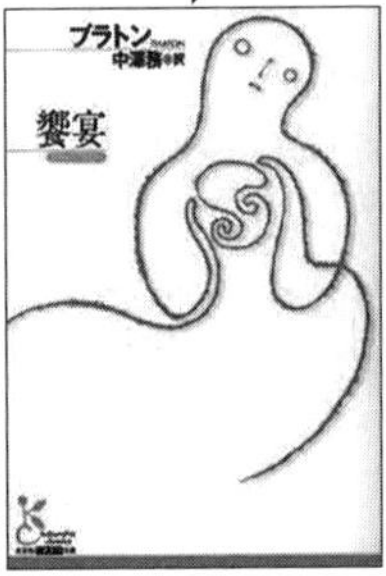

万学の祖アリストテレス

知を愛し、すべての学問を愛し、「万学の祖」と言われるのがアリストテレス（前384～前322年）です。プラトンの弟子であり、アレクサンドロス大王の家庭教師をしていました。

アリストテレスの影響力は絶大で、たとえば「重いものと軽いものを同時に落としたら、重いものが先に落ちる」と言ったのが長いこと信じられていました。ガリレオ・ガリレイ（1564～1642年）の時代まで、アリストテレスの言ったことが正しいと思われていたのです。

ハンマーと鳥の羽を同時に落としたら、重いハンマーのほうが先に落ちると思ってしまいますね。

しかし、アポロ15号が月面で実験し、両者が同時に落ちることを確かめています。とにかく、ガリレオが発見するまでの2000年近くの間、アリストテレスの考え方をみんなが信じていたのです。

最初に「カタルシス」という言葉を使って悲劇の説明をしたのも、アリストテレスです。カタルシスとは「魂（精神）の浄化」といった意味の言葉で、現代も演劇や文学の批評等でよく使われますね。

アリストテレスは『詩学』の中で、『オイディプス王』のように有名なギリシャ悲劇を引き合いに出しながら、悲劇の本質がカタルシスにあると論じています。『詩学』は、西洋における最古の「芸術論」です。

また、アリストテレスは道徳について探求する学問、「倫理学」の創始者でもあります。『ニコマコス倫理学』は、幸福を主題とし、幸福になるためにいかに徳を磨くかという問いについて論じています。

アリストテレスは「中庸の徳」が大事だと考えました。たとえば、勇気が過剰だと「蛮勇《ばんゆう》」で、不足していると「臆病」です。そういった偏りがなく、ちょうどいい「勇気」を持つ必要があるということです。

▼おすすめ書籍

『ニコマコス倫理学』（上・下）アリストテレス／著　渡辺邦夫、立花幸司／訳　光文社古典新訳文庫　2015、2016年

西洋最大の哲学者の一人、アリストテレスが倫理学の講義用に書いたノートをまとめたものが、『ニコマコス倫理学』です。幸福を主題に、いかに正しく生きるかを語っています。現代の私たちが読んでもわかりやすく、今この時代にもアリストテレスの書を手に取ることができるのは素晴らしいと感じます。

『詩学』アリストテレス／著　三浦洋／訳　光文社古典新訳文庫　2019年

「カタルシス」や「模倣」といった概念、そしてその考えがわかる本です。ストーリーを創作するという意味での、詩作。その重要ポイントになる「逆転」「受難」などについて分析した最古の芸術論とも言われますが、現代の作品を見るうえでも参考になります。「面白い物語を書きたい！」と願うクリエイターにも応える1冊です。

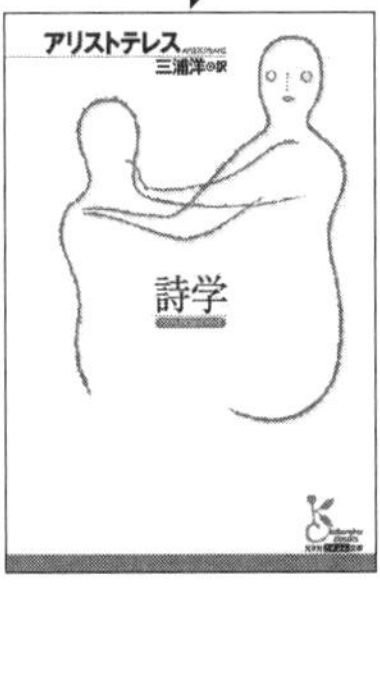

ソクラテス前の哲学者たち：世界は何でできているのか

ソクラテス以前に古代ギリシャで生まれた思想は、「プレソクラティック」としてまとめられています。それだけソクラテスの登場が、西洋哲学の歴史の中で大きな分岐点になったということです。

ソクラテス以前はどのような思想・哲学があったのか、少し見てみましょう。「世界は何でできているのか」を考えた人たちが、歴史上にはこんなにも存在するのです。

●タレス（前624〜前546年）

――「万物の起源は水である」

世界の成り立ちを解明しようと考える中で、タレスはすべての根源が水だとしました。タレスは著作を残していませんが、アリストテレスが哲学の創始者として紹介しています。

●ピタゴラス（前５８２～前４９６年）

――「万物は数である」

「ピタゴラスの定理」で有名なピタゴラスは、世界の根源は数であり、数が宇宙を調和させていると考えました。ピタゴラス学派は神秘主義的で、世界観を共有している一種の教団です。あとでお話しするように、プラトンにも大きな影響を与えました。

●ヘラクレイトス（前５４０～前４８０年）

――「万物は流転する（パンタ・レイ）」

ヘラクレイトスは「同じ川に二度入ることはできない」という言葉を使って、すべてのものが流転していくと説きました。世界の本質が「変化」だと考えたのです。

●デモクリトス（前４６０～前３７０年）

――「真実にはアトム（原子）とケノン（空虚）あるのみ」

万物の根源は原子であり、原子が空虚の中を運動して結びつくことで世界が作られているという考え方です。この時代に、近代科学に通じる考え方を示したというのが驚きですね。

ピタゴラスがプラトンに与えた影響

プラトン（前427〜前347年）は「イデア論」を説きました。イデアとは、目には見えないけれど、魂の目で見ることができる「物の本質」とでも言うべきものです。たとえば椅子職人が家具として椅子を作るとき、人によってさまざまな形の椅子ができるでしょう。

しかし、私たちはそれぞれ違う形でも「これは椅子だ」と判断できます。職人が初めて作る形のものであっても、その職人は作る前から椅子だとわかって作ります。それは椅子という存在の観念のようなものを持っているからです。このように、目には見えないけれどすべての椅子に「共通した何か」がイデアです。

プラトンは、イデアは私たちの頭の中にあるだけではなく、本当に存在すると考えました。あらゆるもののイデアがイデア界に存在しており、現実の世界にあるものはイデアの模造品だと言います。

イデア論誕生の背景には、ピタゴラス学派の影響があったと思われます。ピタゴラス学派の考えは、「万物は数である」というものでした。実際、数学的世界で考えるとイデア論はとてもわかりやすくなります。

たとえば、正三角形があるとします。自分で正三角形を描こうとすると、本当に正確なものは描けず、それぞれの角は60度であるはずが59度になったり、61度になったりしてしまいます。それでも、「これを正三角形とする」と言えば、正三角形ということになりますね。現実のものは正確ではありませんが、理想の正三角形はあります。「現実のものは不完全だけれども、完全なものはある」という考えは幾何学では当たり前です。そもそも「正三角形」というのが観念だからです。

ピタゴラス学派の人たちに学んだプラトンは、これを発展させてイデア論を生み出したのではないでしょうか。

近代哲学の始まり：デカルト「我思う、ゆえに我あり」

そこからだいぶ時は流れ、また数学と哲学との邂逅《かいこう》があります。

デカルト（1596～1650年）は、哲学の歴史の中でもとくに有名な哲学者ですが、実は数学者でもあります。

方程式を、たとえば$ax^2+bx+c=0$といった書き方ができるのは、デカルトの功績です。それまでは文字で書く部分が多かったものを、表記法を決めてすっきりさせました。

また、デカルトは「座標軸」にも貢献しています。x軸y軸で表される平面は、「デカルト平面」と呼ばれています。

座標軸のすごさは、直行する2本の直線があれば、そこからの距離であらゆる点の位置が示せることです。z軸を加えれば、空間での位置も示すことができます。すべての位置を数字でとらえることができるのです。

そんなすごい数学者のデカルトは、「我思う、ゆえに我あり」と言いました。有名な言葉ですね。この言葉が出てくるのは『方法序説』です。

『方法序説』は、「良識はこの世でもっとも公平に分け与えられているものである」と始まります。私たちは良識を使うことで、物事を疑ったり検証したりすることができます。

ただ、良識も練習をしないとうまく使えるようにならないので、練習をしましょうという話をしています。

そして、思考のコツについて展開しています。デカルトの思考のコツのベースには数学があります。誤った論拠で判断しないようにする。問題を小さく分割し、規則と順序に従って解く。最後に、完全な枚挙と全体にわたる見直しをするといったやり方で、哲学の問題にも取り組もうとしました。

少しでも疑わしいものは廃棄して、正しいと確信できるものを探そうとしたデカルトは、どれもこれも疑います。目に見えているものも、本当にそうなんだろうか？　錯覚ではないか？　と疑うと、全部怪しいのです。

そうしてすべてを疑い、すべてが疑わしくなった時点で一つだけ確かなものがありました。それが、「疑うという作業をしている自分の意識」です。自分の意識の存在は疑いようがないことを発見したのです。これが有名な「我思う、ゆえに我あり」です。

とりあえず全部疑うところから始めるというのが面白いですね。実際、見ている、聞いているといった私たちの感覚はあてになりません。

私は『チコちゃんに叱られる！』（ＮＨＫ総合）という番組が好きなのですが、その中で「カレーに関する実験」が放映された回がありました。

私たちは、カレーの匂いを嗅ぐとカレーが食べたくなると考えています。

しかし、本当は逆で、カレーを食べたいからカレーの匂いがするといいます。

番組では、カレー弁当を食べたあとのスタッフに目隠しをし、カレーの匂いを嗅がせる実験をしていました。彼は一生懸命匂いを嗅ぎますが「ご飯かな？　漬物かな？」と言って、その匂いがカレーだとはわかりませんでした。

なぜなら、もうカレーの栄養が足りているからです。人間は、体に必要な栄養のあるものを嗅ぎ分ける能力が備わっており、その匂いを探し出すのだそうです。カレーを食べる前と食べた後で、世界の認識も変わるわけです。そのくらい、私たちの感覚はあてになりません。そうして全部疑う中で、疑っている自分の意識だけは疑えないと言ったのがデカルトなのです。

デカルトのこの思想は画期的でした。それまでの長いアリストテレスの思想、キリスト教の思想から脱却し、「近代的な自我の目覚め」を宣言しているのです。

▼おすすめ書籍

『方法序説』デカルト／著　谷川多佳子／訳　岩波文庫　1997年

有名な「我思う、ゆえに我あり」が出てくる近代哲学の始まりの本。すべての人が真理を見出すための方法を求めて書かれています。大学で私は教養の一つとして、1年生みんなに読んでもらうようにしています。1回ですべてを理解しようとせず、何度か読んでデカルトの思考のエッセンスをつかみ取っていくイメージで大丈夫です。

コペルニクス的転回のカント

次に押さえておきたいのは、カント（1724～1804年）です。有名ですから、みなさんも名前は知っていると思います。

カントはものすごいことを発見したので、自分で「コペルニクス的転回」と言っています。

コペルニクス的転回とは、天が地球の周りを回っているという「天動説」が常識であったところに、コペルニクスが地球が太陽の周りを回っているという「地動説」を唱えて常識をひっくり返したことから、「常識的なものをまったく正反対に転回させてしまうほどの発見」ということです。何がそんなにすごいのでしょうか。

一言で言うと、「対象」と「認識」の関係をひっくり返す大技だったのです。

カントは、もの自体を知ることはできないと言いました。私たちはものを見たり触れたりして、そのもの自体を正しく認識できたと思っていますよね。

しかしカントは、人間は絶対にもの自体を正しく認識することはできないと言います。

たとえばリンゴを見ているとして、こちら側から見ているときは反対の面を見ることができません。表面は見えていても、内側を知ることはできません。見える範囲にしても、肉眼ではとらえられない細かな傷などはわかりません。

私は犬を毎日散歩させていますが、犬と私は同じ道を歩いていても、世界の認識のしかたは違うはずです。犬の嗅覚は人間よりはるかに優れている一方で、色ははっきりしないといいます。彼らは匂いを頼りに情報を得ているのです。

ドイツの生物学者ユクスキュルの『生物から見た世界』によると、ダニは目も耳もなく、味覚もありません。木の上などでじっとしていて、動物の匂いを感知したときに落ちるのですが、動物の背中に衝突したら歩き回って血を吸うし、外したらまた時間をかけて木の上に戻って待つ、という世界です。

ダニが見ている世界と私たちの世界は違いますね。この地球は生物ごとに全然違うし、もっと言えば一人ひとり違うということになります。

私たちはもの自体を把握することはできず、自分の認識システムで対象を認識しています。対象があるから認識するのではなく、認識が先にあって、対象をそのように構成するというのがカントの考えです。

常識がひっくり返りましたね。これぞまさに、コペルニクス的転回です。雑談でカントの話が出たら、「すごいよね、コペルニクス的転回だよね」と言えば「おお！」という感じになります。

世界の見え方、とらえ方が一人ひとり違うというのは本当にそうでしょう。単純な話で言えば、近眼の人と目のいい人とでは見え方が全然違うはずです。音にしても、若い人にしか聞こえない音域があるそうです。

思い込みを捨てて、丁寧に現象を記述せよ：フッサールの現象学

「人間が対象を認識してはじめて、対象は対象として出現する」とカントは考えました。

人間が認識することで、対象自体から現れ出たものが「現象」です。人間の能力で

わかるのは現象界のみです。「イデア」を探し求めるのではなく、現象界で戦えばいい。この考え方が「現象学」につながります。

現象学の潮流を作ったのは、フッサール（1859〜1938年）と言われていますが、おおもとはカントだったと言えるかもしれません。

フッサールが提案したのは、物事を思い込みで判断するのをやめて、現象そのものを丁寧に記述しようということです。

たとえば、私たちは「これらはリンゴである」と思い込んでいるけれども、その意識を一度取り去って丁寧に記述してみると、このリンゴとあのリンゴはまったく別のものだということがわかります。

描かれたものを別の人が見れば、100個のうちからそのリンゴを「これだ」と言って見つけ出すことができる。それが現象学的記述です。

考えてみれば、画家がやっているのはそういうことでしょう。概念的なリンゴを描くのではなく、丁寧にリンゴを見ながら一筆一筆描いていきます。観察を通して、存在そのものを描きとろうとする行為は、現象学的記述と同じです。

私は大学院時代、この現象学を使って勉強をしていました。勝手に「息の現象学」と名づけ、息を吸って吐くということも思い込みを外して、一つずつ丁寧に見ていくというようなことをやっていました。

思い込みや先入観を捨て、ありのままを観察することで、新鮮な気持ちで驚いたり感動したりできるのが現象学の素晴らしさです。こういったフッサールの現象学は、ハイデガー、サルトル、メルロ＝ポンティなどに受け継がれていきました。

ハイデガーと実存主義の流れ

フッサールの影響を受けて、ハイデガー（１８８９〜１９７６年）は「世界内存在」という考え方を提示します。世界内存在とは、私たちは世界の中に住んでいる、私たちは世界を構成しているということです。

たとえば道路があって、車が走っているとき、その道路や車は人が使うものとしてそこにあります。宇宙の中にぽつねんとあるのではなく、関係の中で存在しているわけです。私たちはそういった世界に参加しています。

ハイデガーは、ものや人との関係が絡み合った世界の中に存在している在り方が、人間の在り方なのだと考えました。

私たちが生まれたときから、すでに世界は存在しています。自分で自分の存在を始めることはできず、気づいたらもう世界内存在となっているのです。

私たちが世界に投げ込まれていることを「被投性」と言います。この時代に、こういう状況で、この遺伝子で世界に投げ込まれるというのは自分で決められません。不条理ですね。不条理だけれども、人間は自分の進む道を企て、選択していくことができます。自分で自分を、自分の道に投げ入れる、これが「投企性」なのです。

また、人は死を避けることはできません。いつか死ぬのであれば、自分は自分の生き方をしなければと考え、未来に向かって選択していくのが人間です。不条理に投げ込まれただけの存在ではなく、自分の可能性を開き、未来を作っている存在でもあります。これを「被投的投企」と言います。

ハイデガーは、人間は自分の死を意識し、本来的な生き方をすべきだと言っているのです。

この考え方は「実存主義」として括られます。実存主義的な生き方は、世界的なブームになりました。

実存主義の思想家として、ほかに有名なのはサルトルです。サルトルは「実存は本質に先立つ」という言葉で、実存主義を表現しました。人間は、気づいたら存在（実存）しているので、存在理由とでも言える「本質」を後から作らなければならないということです。

サルトルは『存在と無』や『実存主義とは何か』といった著書がありますが、小説も残しています。小説『嘔吐』は、30歳の主人公ロカンタンがさまざまなものに謎の吐き気を感じる話です。

あるとき、彼はマロニエの木の根っこを見て吐き気を感じ、その正体に気づきます。むき出しの存在の、その整理できなさ、不条理さが吐き気を呼び起こしているのです。『嘔吐』は私が学生の頃、よく読まれていました。小説なので読みやすく、サルトルの思想を知ることができます。

サルトルと同時代に活躍していたカミュ（1913～1960年）も、実存主義的な作品を残しています。

たとえば『シーシュポスの神話』は、ギリシャ神話を題材に、不条理に立ち向かう男を描いています。シーシュポスは神の怒りを買い、大きな岩を山頂に運ぶという罰を受けるのですが、山頂に運び終えたとたんに岩は転がり落ちてしまいます。そこでまた、重い岩を運び直さねばなりません。これを繰り返しながら、シーシュポスは「よし、もう一度」と考えます。

やらされている、あきらめているというのではなく、自分の運命は自分が握っているのだという強い気持ちを持っているのです。

▼おすすめ書籍

『シーシュポスの神話』カミュ／著　清水徹／訳　新潮文庫　1969年

不条理をテーマに、カミュの論考が複数掲載されている本です。表題の『シーシュポスの神話』はたった10ページ以内に収まる短いエッセイです。読みやすく、実存主義の思想に触れられるのでおすすめです。「シーシュポスは『不条理の英雄』」という表現は印象的です。

『知覚の現象学』（1・2）　モーリス・メルロ＝ポンティ／著　竹内芳郎、小木貞孝／他訳　みすず書房　1967、1974年

身体の現象学に関する古典的な名著です。深い洞察に満ちています。入門書的な本ではありませんが、私が大学時代に一番熱中した本なので、みなさんにもご紹介したいと思います。メルロ＝ポンティの知り合いには、サルトル、レヴィ＝ストロースなど他の知識人もいるため、才人の交友関係についても調べてみると面白いでしょう。

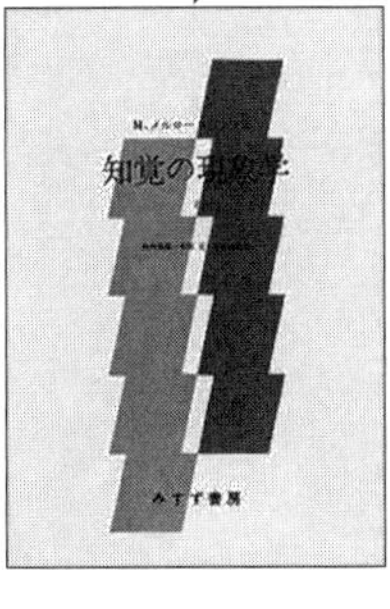

「超人になれ」と言うニーチェ

西洋哲学の有名人を何人か見てきましたが、最後にニーチェにも触れておきたいと思います。

ニーチェ（1844～1900年）は、実存主義の先駆者と言われます。「真理は神の世界にある」というキリスト教の思想を批判し、人間はもっと自由な精神を持って、能動的に生きることが重要だというメッセージを作品に込めました。

ニーチェの代表作『ツァラトゥストラはこう言った』では、キリスト教的な理想の代わりに、超人と永劫回帰の思想が展開されます。

超人と言うと、スーパーマンのような存在を思い浮かべてしまいますが、そうではありません。ニーチェの言う超人は、既存の価値観にとらわれず、新しい価値を生み出す人間のことです。勇気を持って、せこい自分、ビビっている自分を乗り越えていくことができる人間です。

そして、どんなときでも自分の意志で選び取れ、と言います。

今の瞬間が素晴らしいのであれば、これまであったイヤなこと、辛いこともすべて肯定しなければなりません。

たとえ今辛い状況であっても、ひどい人生であっても、「よし、もう一度」と自ら言ってしまおう。何度でも繰り返してやろうという心意気を持つ、これが「永劫回帰」の思想です。不条理に打ちひしがれるのではなく、自分で決断し、厳しさを味わったあとでも「よし、もう一度」と言える強さを持てということなのです。

先日、韓国ドラマ『梨泰院《イテウォン》クラス』を見ていたら、最終回近くでニーチェの言葉「何度でもいい。むごい人生よ、もう一度」が出て来て「おっ」と思いました。イソというIQが高くインフルエンサーである女性が『ツァラトゥストラはこう言った』を読んで、引用したのです。ニーチェの言葉はかっこよく、胸に迫るものがありますね。

さて、ニーチェの言う超人になるにはどうしたらいいのでしょう。『ツァラトゥストラはこう言った』の中では、「精神変化の3ステップ」とでも言うべき3つの段階が述べられています。

最初のステップは「ラクダになる」。義務を遂行すること、重荷に耐えることをラクダの比喩で言っています。

次のステップは「獅子になる」。自由をわがものとし、支配しようとしてくる者に対してノーと言います。「汝なすべし」と義務を負わされても、それを拒否する「われは欲す」という精神を持ちます。獅子は、精神の自由を象徴しているのです。

最後のステップは「幼子になる」。獅子の上に幼子が位置するなんて意外ですね。この意味は、遊ぶ精神でクリエイティブになるということです。誰かと戦うのではなく、今ここにある世界を肯定し、無垢に遊ぶ存在の在り方こそが、人の精神の最終的な姿だとニーチェは考えました。

このように、ニーチェは創造性を発揮しなさいと教えています。

哲学・思想と言うと知的なイメージがありますが、私はニーチェ的なチャレンジの精神、勇気を学べると思っています。哲学者はみんな勇気を持って新しい考えを提示してきました。ですから、哲学を学ぶ際は「新しい考えにチャレンジする」という気持ちでいることです。

▼おすすめ書籍

『ツァラトゥストラ』ニーチェ／著　手塚富雄／訳　中公文庫　1973年初版、2018年改版

「超人」や「永劫回帰」の思想を表現したニーチェの代表作。私自身大好きな作品で、学生には必ず読んでもらっています。ニーチェの文章は詩的で、わかりやすくインパクトがあります。難解な哲学書を読むのは大変ですが、ニーチェの言葉はスッと心に入ってくるのです。

日本の哲学者、西田幾多郎の「純粋経験」

日本の哲学者では、西田幾多郎（1870～1945年）を知っておきたいところです。東洋的な思想をベースに持ちつつ、西洋哲学を吸収して生み出した独自の思想は「西田哲学」と呼ばれています。

西田の著書『善の研究』は、日本人が書いた初めての哲学書で、1911年に出版されました。

本書で提示しているのは「純粋経験」という思想です。

「純粋経験」とは、反省や判断を加える前の、主観と客観が区別されない直接的な経験のことです。西洋哲学では、認識する主体と認識される客体という二元論が確立されていましたが、西田は主体と客体が分かれておらず、渾然一体となっている状態（主客未分）がおおもとなのだと考えたのです。

たとえば急に雨が降ってきて、濡れてしまったという状況があるとします。純粋経験で言えば、「雨に濡れている」ということが存在しているだけで、主体は存在しません。「雨粒が私の体に当たった」という認識は、あとから加えた理屈のようなものです。

哲学者の永井均さんは、川端康成の小説『雪国』の冒頭を取り上げて「純粋経験」の説明をしています。

「国境の長いトンネルを抜けると雪国であった」とは、誰かその経験と独立のある人物がたまたま持った経験を述べている文ではないのだ。もし強いて「私」という語を使うなら、国境の長いトンネルを抜けると雪国であったという、そのことそれ自体が「私」なのである。だから、その経験をする主体は、存在しない。西田幾多郎の用語を使うなら、これは主体と客体が分かれる以前の「純粋経験」の描写である。

（『シリーズ・哲学のエッセンス　西田幾多郎〈絶対無〉とは何か』永井均／著　ＮＨＫ出版

2006年　より引用）

なるほど、「国境の長いトンネルを抜けると雪国であった」という有名な一文は、主語がありません。誰が、あるいは何がトンネルを抜けたのか。わからないので、このままでは英訳ができないのです。

この文章を英訳したものを見ると、主語は「The train」になっているようです。国境の長いトンネルを抜けたのは、列車？　いや、自分なのではないか？

しかし、「私が国境の長いトンネルを抜けると」とすると変な感じがします。1人で歩いてトンネルを出たわけではないですし、そもそもこの文章の良さが損なわれるように思えます。

多くの日本語は主語がないと言われますが、それは純粋経験が表れているのだと考えることもできます。主客を分けない考え方がおおもとにあるのだと言われれば、そうかもしれないという気がしてきますね。西田哲学は日本人の実感にフィットするものだと思います。

一方で西洋の哲学は、東洋の思想をベースに持っている私たちからすると、少し不思議に感じるところもあります。私は学生の頃にサルトルの『嘔吐』を読んで、主人公がむき出しの存在を見て吐き気をもよおすことに対し、「東洋人ならむしろ、その整理しきれない存在自体に喜びを感じるのではないか？」と感じたことがあります。

西田幾多郎は、禅の大家である鈴木大拙（１８７０〜１９６６年）と同級生で、親しく付き合っていました。鈴木大拙は、日本の禅文化を海外に紹介したことでもよく知られています。

禅の思想は「いまここに集中し、無心になる」というものです。「私が、私が」ではなく、そういった認識をそぎ落として、無心になったときに現れる世界が禅的な世界です。

西田幾多郎の「純粋経験」と禅には、つながりが感じられて面白いですね。

▼おすすめ書籍

『善の研究』西田幾多郎／著　小坂国継／全注釈　講談社学術文庫　2006年

明治期に、日本人によって初めて書かれた哲学書です。西洋哲学と日本的な思想を融合させて生み出した独自の哲学は、「西田哲学」と呼ばれています。本書の中心的な概念は「純粋経験」です。文章はやや難解ですが、解説に頼りながらぜひ一度読んでみてほしい本です。

『禅と日本文化』鈴木大拙／著　北川桃雄／訳　岩波新書　1964年

禅は、日本人と日本文化に広く影響を与えています。身近な事例でいえば、みなさんも関西地方への修学旅行で、坐禅を組んだことがあるのではないでしょうか。本書を読むと、禅が私たちの内側にあることを感じます。関連書籍としては、完訳版が2022年に角川ソフィア文庫から刊行されました。

東洋思想を学んで、東洋人としてのアイデンティティを獲得する

主体も客体もなく、一つであるという感覚は東洋的です。

古代インドのウパニシャッド哲学の中心には、「梵我一如《ぼんがいちにょ》」の思想があります。宇宙を支配する原理である「梵」を「ブラフマン」、個人である「我」を「アートマン」と呼び、ブラフマンとアートマンが同一だと知ることが究極の悟りだという考え方です。

中国の「老荘思想」にもそういうところがあります。

老子は、「道」という概念を提示し、私たちがあれこれ計らうよりも自然のままが良いと言いました。一切をあるがままにとらえることで、よりよく生きることができると考えました。

荘子は、道の境地に立てば、すべてのものが同じであると言いました。これを「万物斉同《ばんぶつせいどう》」と言います。姿かたちはさまざまでも、すべては道という根本原理が変化したものであり、元は同じだということです。

荘子の「胡蝶の夢」という有名な説話があります。「夢の中で蝶としてひらひら飛んでいて目覚めたが、はたして自分は蝶になった夢を見ていたのか、それとも蝶が自分になった夢を見ているのかどちらかわからない」というものです。荘子は、蝶も人間の自分もどちらも真実であり、対立や区別を超えた世界で生きなさいと説いているのです。

『老子』や『荘子』を読むと、気持ちが落ち着きます。何をそんなにあくせくしていたのかなという気がしてきます。

西洋の思想だけではなく、東洋の思想もあらためて知ることでバランスが取れるのではないでしょうか。

東洋人の私たちにとって、行き過ぎたスピード感の西洋社会はストレスがたまりがちです。自然の中で自分を解放し、一体になる感覚を持つのはいいものです。瞑想、坐禅を実践するのも良いでしょう。禅的なものが西洋社会でブームになっているのを見ると、西洋の方々も心が疲れているのだと思います。

また、東洋思想を学ぶことは、東洋人としてのアイデンティティ獲得につながります。「あなたは東洋人ですか？」と聞かれれば「はい、そうです」と答えますが、私たちはあまり東洋人だという認識を持っていないと思います。

しかし、東洋の思想は自然に生活や価値観に入り込んでいるものです。アイデンティティの一つとして持つことができれば、精神の支えになってくれるはずです。

第4章

歴史

人類の失敗と成功から学べること

世界の歴史を知ることは、人類にとって非常に重要なことです。未来を予測するのは難しく、おそらくコロナ禍前に現在の状況を予言した人はほとんどいないでしょう。

しかし、過去に学ぶことはできます。歴史を知り、深く学ぶうちに、ある程度パターンが見えてくるのです。たとえば、バブル経済も最初に弾けたときは「なぜこんなことが」と思いますが、歴史をさかのぼれば「ああ、これは弾けるな」と予測もでき、備えられるということです。

「歴史は繰り返す」という言葉もある通り、人間は同じことを繰り返してきています。歴史に学ぶからこそ、より良い世界を目指すこともできるはずです。

高校「世界史」は意義がある

高校で学ぶ教科の中で、「世界史」は本来大きな柱になるものです。

しかし、以前は「世界史」を科目選択せず、ほとんど学ばないという人も多くいました。大学受験で「世界史」を選択する人は少なかったのです。

もちろん「日本史」は日本人にとって大事ですが、「日本史」は「世界史」の中の一分野です。世界の歴史の中で日本を考えることができないと、それはそれで困ったことになります。受験に必要かそうでないかの前に、必須の教養なのです。

今は教養の中心分野として「世界史」が見直され、真面目に取り組まれるようになっています。高校でも、１９９４年度から世界史が必修化されています（２０２２年度からは世界史と日本史を統合した、近現代史中心の「歴史総合」が必修、「世界史探究」は選択科目）。

私自身は入試科目として「世界史」を選択したのですが、とても良かったと思っています。基本的な年号や流れを覚えたり、論述式の試験対策をしたことで、世界の歴史の大きな流れをつかんで今を見ることができている感触があるのです。

大づかみに歴史をとらえることができていないと、グランドデザイン的な世界観を持つことは難しいでしょう。世界史を知らずに持つ世界観は、妄想に過ぎないという感じがします。

大人の世界史の学び方

学校の「世界史」は、年号やキーワードを記憶するようなやり方が多かったかもしれません。もちろんそれも無駄ではなく、いつ頃に何があったという知識は役に立ちます。

ただ、大人が世界史を学び直すなら、もう少し深めたいですね。世界の歴史の見方はさまざまで、角度を変えればまた違った解釈があります。さまざまな視点の本を読むことで、一面的な見方から離れることができます。

また、歴史は固定されているわけではありません。新たな資料が見つかることもありますし、解釈が変わることもあります。

たとえば、ロシアによるウクライナ侵攻があったことで、これまでの戦争の解釈も変わるかもしれません。『第三次世界大戦はもう始まっている』（エマニュエル・トッド／著　大野舞／訳　文春新書　2022年）という本も出ているくらいです。第一次世界大戦、第二次世界大戦はどうだったのかとあらためて考えることになります。

歴史もアップデートされていくものなのです。そのような認識のもとで、学び直していきましょう。

忘れてはならない人類の失敗――支配と殺戮の歴史

本書では、まず人類の負の歴史をおさらいしてみます。

世界史の中で、重要な転換点となったものの一つは「大航海時代」です。

スペインの援助を得てコロンブス（イタリア人）はインドを目指し、１４９２年に新大陸を発見しました。アメリカ大陸です。彼らが上陸したのは南北アメリカに挟まれた、現在のサン・サルバドル島でした。「人知れず国を探してコロンブス」というのが年号を覚える語呂合わせです。以降、スペインは北アメリカに進出。もともと住んでいた人たちを武力で制圧し、土地を奪っていきます。

南アメリカでも大変なことが起こりました。コルテスはスペイン国王の命を受けて、現在のメキシコにあったアステカ帝国を滅ぼし（１５２１年）、ピサロの率いるスペイン軍は南アメリカに侵入し、インカ帝国を滅ぼしました（1533年）。

宣教師ラス・カサスによる『インディアスの破壊についての簡潔な報告』という文書があります。インディアスとは、15世紀末から19世紀初頭までスペインが領有した南北アメリカ大陸の地域のことです。ここでどれほど残虐な行為が繰り広げられていたのかを本国に報告するため、ラス・カサスは文書を作成しました。

もともとは征服者（コンキスタドール）の軍隊の従軍司祭としてアメリカに渡り、植民地開拓に携わっていた人物ですが、そこで起こっている悲惨な状況を目撃して黙っていられなかったのです。立派なことだったと思います。

ラス・カサスによると、彼が見てきた40年間に命を奪われたアメリカの先住民は、1500万人にもなります。キリスト教徒たちが、できるだけ最短で財を築き、高い地位につこうと、競うように先住民を殺害し、土地を奪っていったのです。

現在、南米で使われる言語はスペイン語とポルトガル語がほとんどです。ブラジルはポルトガル語、その他の国々はスペイン語が公用語です。また、キリスト教徒が大半を占めます。財産だけでなく、言語や信仰といった精神の根幹の部分まで支配されてしまったということです。

スペインとポルトガルによるアメリカの植民地経営には、当初先住民たちが奴隷として使われていました。しかし、先住民を酷使したこともあって人口が急激に減り、労働力は不足。

そこでなんと、アフリカの黒人奴隷を大量に供給するという「奴隷貿易」が始まります。人間を商品として扱うという、「貿易」という言葉自体が残酷ですよね。奴隷貿易によってアフリカからアメリカへ連れてこられた黒人は、およそ１０００万人と言われています。

このように、１４９２年のコロンブスから、奴隷貿易が行われた17世紀、18世紀頃まで、世界的な規模で支配と殺戮が行われたのです。これは大変な悲劇です。

その後、アフリカ諸国が独立をしたのは１９６０年前後（１９６０年は「アフリカの年」と言われる）ですから、本当に長い間支配を受けていました。インドも１９４７年に独立するまでは、イギリスの植民地でした。

▼おすすめ書籍

『インディアスの破壊についての簡潔な報告』ラス・カサス／著　染田秀藤／訳　岩波文庫　2013年

宣教師ラス・カサスが、スペイン人による中南米・南米地域の征服活動の悲惨さを目撃し、その実態を告発した文書です。非常に短いですが、これほど衝撃的な本は類を見ません。目をそむけたくなるような残虐行為が書かれていますが、侵略の歴史を繰り返さないためにも、真実を見つめなければならないでしょう。

『古代インカ・アンデス不可思議大全』芝崎みゆき／著　草思社　2022年

イラスト付きでユーモアたっぷりに、インカ文明と古代アンデス文明について教えてくれる本です。ページにこめられた熱量を感じ、感心してしまいます。同著者の『古代エジプトうんちく図鑑』『古代ギリシアがんちく図鑑』『古代マヤ・アステカ不可思議大全』も、どれもとてもおすすめです。

資本の強い国が支配する、帝国主義の時代

大航海時代の次は、帝国主義の時代です。

18世紀後半から、イギリスを中心として産業革命が起こりました。工業生産技術の革新と、石炭、石油のエネルギー使用開始などにより、資本主義社会が確立します。

イギリスは産業革命によって大きな資本を持ち、巨大な力を持つようになりました。「大英帝国」「世界の工場」「太陽の沈まぬ国」と言われ、大繁栄しました。「太陽の沈まぬ国」とは、世界中にイギリスの植民地があるため、ある領土で日が沈んでも別の領土では日が出ているということです。

帝国主義を簡単に言うと、資本の強い国が弱い国を支配し、帝国を作るという政策です。資本の弱い国の領土を植民地化し、継続的に支配していく植民地制度を確立してしまいました。植民地となった国々は、原料供給国のようになってしまいます。

たとえば、インドはイギリスに対して綿花を生産し、供給します。綿製品を作るのはイギリスです。インドはイギリスから綿製品を買わなければならないのです。これ

では、いつまで経っても豊かになることができません。自分たちで綿製品を作ろうとすると、腕を切り落とされるなんていう酷いことが行われていました。

挙句の果てには、生活必需品の塩までイギリスの専売制がしかれました。インドの海でとれる自然の恵みの塩なのに、勝手に塩を作るなと禁止され、違反すると処罰されます。そんな滅茶苦茶なことがあっていいのでしょうか。

1930年、ガンジーはこれに抗議して、「塩の行進」を行いました。塩を作るために海岸まで360㎞の長い距離を行進し、海岸に着いて、塩と泥の塊を掲げたのです。これが暴力を使わない抵抗運動として報道され、イギリスの悪役ぶりが世界に報道されることとなりました。

帝国主義に呑み込まれる日本

帝国主義の魔の手は、日本にも迫ってきました。

1853年、黒船に乗ったペリーがやって来て江戸幕府に開国を迫ります。そして、

1858年に日米修好通商条約という不平等条約を結ぶことになりました。関税自主権を放棄し、治外法権を認めることで、外国人が日本でやりたい放題という仕組みが作られたのです。食い物にされかかっている状況です。

当時の日本は、お隣の清国がアヘン戦争でイギリスにボロボロにされたのを見ていました。幕府の使節として上海へ行っていた高杉晋作らは、このままでは日本もやられてしまうという危機感を持ち、江戸幕府を倒して近代国家を作るプランを作ります。

そして、明治天皇を中心に据え、欧米列強の中に入っていこうとします。明治政府のスローガンには、「富国強兵」「文明開化」などがありました。すごい勢いで欧米に追いつこうとしたのです。

福沢諭吉は「脱亜入欧」を唱えたと言われていますが、これはアジアを脱して欧米列強に入るということです（ただし、福沢の真意は、個人が独立し、独立した国家を目指さねばならないということです）。

その結果、アジアでは日本だけが急速な近代化に成功しました。そして日本は、「植民地を持つ側」に回ろうと考えてしまいました。早速、鎖国中だった朝鮮に出兵して制圧しようという「征韓論」が出てきます。

明治維新によって職を失った武士たちの不満を解消する目的もあって、西郷隆盛や板垣退助らが主張しました。大久保利通らがこれに反対し、征韓論は敗れたものの、その後「日韓併合」のかたちで朝鮮を支配することになります。

１９１０年から、１９４５年に降伏文書に調印するまでの約35年間、日本は朝鮮半島を支配下に置いていたのです。この事実は今でも禍根を残していますね。

征韓論から始まった日本の国外進出は、その後日中戦争に、そして日米戦争に発展していきます。最悪の流れが出来てしまいました。

日本の大失敗はここから始まった

どこで間違いが起きたのでしょうか。

「欧米列強に支配されそうだからディフェンスする」と考えたところまでは良かった

のです。国力を上げよう、独立を保とうとしたのはいいのですが、「自分たちも欧米列強のように植民地を手に入れよう」と他国に出て行ったのは間違いでした。

最盛期の大日本帝国版図を見ると、東南アジアと太平洋の島の一部を含め、広大な領地を獲得していることに驚きます。こんなに広い地域を植民地にしようとしていたなんて、馬鹿げていると言いたくなります。当時は妄想をふくらませ「いけいけ、どんどん」だったのでしょう。

先に、日本は欧米諸国と不平等条約を結ばされた話をしましたが、そのあとすぐに行った愚挙があります。朝鮮との間に「日朝修好条規」を結んだのです。「日朝修好条規」は、朝鮮に対して日本の領事裁判権を認めさせ、関税自主権を放棄させるという不平等なものでした。

つまり、欧米にやられたことを、自分たちより弱いと思われる朝鮮に対してすぐにやるという、品性のなさが表れている出来事なのです。

日朝修好条規を進めた人たちは、いったい『論語』で何を学んでいたのでしょうか。当時の教養ある人はみんな『論語』をよく読んでいたはずです。

『論語』の中で最も重要な言葉を1つ挙げよと言われれば、「己の欲せざるところ人に施すことなかれ」です。

孔子は弟子から「一生をかけてやるべきことは何でしょうか」と聞かれ、「思いやりだよ」と答えたあと、「つまり、自分がやられて嫌なことを人にするな、ということだよ」と教えています。

弟子が納得すると、「でも、おまえなどには一生をかけてもなかなかできることではないよ」と言いました。言うのは簡単でも、現実世界で行動に移すのは難しいというわけです。

実際、日本は孔子の言葉とは反対のことをし、原爆投下で敗戦するまで帝国主義側の国となっていったのです。

ご存じの通り、戦争では本当に多くの人が亡くなりました。原爆では、広島・長崎をあわせて約21万人が亡くなっています。こうなってしまうまで止められなかったのです。アジアの雄である日本が欧米列強と戦うことで、結果として第二次大戦後のアジア諸国の独立につながったという歴史観もありますが、帝国主義から敗戦までの時代は、日本にとって基本的に負の歴史です。

歴史は複雑で、いろいろな見方ができます。

日本の戦争について、私が衝撃を受けたのは、『レーニン全集31』（レーニン／著　ソ連ＭＥＬ研究所／編　大月書店）の中のロシア共産党モスクワ組織での、レーニンの演説（１９２０年）です。

全世界で社会主義が勝利するには、「二つの資本主義国家群のあいだの対立と矛盾を利用し、彼らをたがいにけしかけるべき」とし、その第1として日米の対立を挙げています。日米の「敵意を利用して、彼らをたがいにいがみ合わせること」が課題だと言っているのです。日米開戦の21年前（！）の演説です。

共産主義社会の負の歴史

戦争以外にも、20世紀には大きな負の歴史があります。

社会主義、共産主義国家で起こった虐殺です。1917年のロシア革命を経て、世界は一気に社会主義化が進みました。ボリシェビキが主導権を握ったことで、1922年にソビエト社会主義共和国連邦が成立し、その後次々に社会主義国が誕生します。中国共産党が全権を握った中華人民共和国が成立したのは、1949年です。

第二次世界大戦後は、アメリカを中心とする資本主義・自由主義陣営とソ連を中心とした共産主義・社会主義陣営という対立が生まれました。これが冷戦構造です。他国との対立が生まれるのと同時に、社会主義国の中では、なんと自国民を大量に虐殺するということが起こりました。

たとえばスターリンの大粛清。共産党内の反対派政治家を片っ端から死刑にし、さらに学者や農民など一般の人々まで虐殺していきました。絶対的な権力を持つため、スターリンを批判する者は消したのです。とんでもない恐怖政治によって人々を動かしているわけです。犠牲となった人々の数は正確にはわかりませんが、800万人から1000万人と言われています。戦争で亡くなった人の数より多いくらいなのです。

中国の毛沢東も国内に恐ろしい事態を招きました。15年以内にイギリスに追いつき追い越すという目標のもと、農業と工業を変革しようとした「大躍進政策」の結果、多くの人が犠牲になりました。

農民たちは「人民公社」という集団化された農業組織に組み込まれ、家も土地も財産も奪われました。共同食堂ではそれぞれの働きに応じて食料が供給されましたが、何かと理由をつけられては食料を与えられず、餓死していった人々が大勢いました。飢えと病気と暴力が蔓延し、『毛沢東の大飢饉』（フランク・ディケーター／著　中川治子／訳　草思社文庫）によれば、４５００万人もの人が亡くなったとされています。

現在の日本の人口が1億２４５０万人くらいですから、どれほどの死者を出したのかと驚愕します。しかもこれは人災です。「飢饉」という言葉ではまったく表現できていません。

ただ、このような実態は世界にあまり知られないままでした。情報を外に出さず隠ぺいするということがあるからです。これもまた、共産主義国家の特徴でしょう。

今の中国も情報統制が強く、外からはよくわからない部分があります。たとえば今回の新型コロナウイルスに関して、中国は「ゼロコロナ」を強く言い続けていました。徹底した行動管理による感染拡大の抑制という独自の対策を取り、感染者数を低く抑えてきました。ところが、2023年1月の感染者数累計は9億人。どういうことになっているのでしょうか。

カンボジアでも、極端な共産主義思想が大虐殺を招きました。1975年に実権を握ったポル=ポト派は、農業主体で通貨も必要ない原始共産主義社会を目指し、人々を農村に強制移住させて強制労働、拷問、虐殺をしました。人口の2割から3割にあたる約170万人が犠牲になったのです。

社会主義国家は独裁につながりやすく、民主主義の形態をとりにくいようです。民主主義の考えを持った国であれば、ありえないような規模の虐殺が起きているのが現実です。

ソ連は1991年に崩壊しました。一時期の熱狂は過ぎ去り、社会主義や共産主義の試みは失敗したというのが世界の認識です。

『共産党宣言』を1842年に刊行したマルクスやエンゲルスは、こんなことになるとは予想していなかったでしょう。資本主義に苦しめられている労働者たちが立ち上がって、支配者がいなくなり、平等な社会が作られると考えていたのです。

しかし、もっときつい状況が生まれてしまいました。

人類史から見る悲劇

今度は人類史の観点で歴史を見てみます。

私たち現生人類「ホモ・サピエンス」は、30万年から20万年ほど前にアフリカで誕生しました。かつて、人類は他にもいました。ネアンデルタール人、クロマニヨン人のほか、シベリアのデニソワ人や、フローレス島に小型の人類などがいたこともわかっています。しかし、ホモ・サピエンス以外はすべて絶滅してしまいました。一体なぜでしょうか？

何があったのか正確なことはわかっていませんが、おそらく私たちの祖先が他の人類をすべて追い払ってしまったのでしょう。

ホモ・サピエンスはアフリカを出て、ヨーロッパにいたネアンデルタール人と出会います。ネアンデルタール人は体格も良く、脳の容積も大きかったようです。

しかし、4万年から3万年前に絶滅しています。

ホモ・サピエンスだけが生き残った理由として、情報交換をしたり、集団で力を合わせて何かを行ったりする能力が高かったからだと言われています。

イスラエルの歴史学者ユヴァル・ノア・ハラリ氏の『人類の物語』には、5万年前に「歴史上で最も重要なできごとのひとつ」が起きたと書かれています。

それは、ホモ・サピエンスがオーストラリアにたどり着いたということです。


このときから、人類が地球という惑星の支配者になった。それまで、人類は環境に対してそれほど大きな影響を与えてはいなかったのに、この瞬間から、世界をすっかり変えはじめたんだ。

(『人類の物語』ユヴァル・ノア・ハラリ/著　リカル・ザプラナ・ルイズ/絵　西田美緒子

／訳　河出書房新社　２０２２年　より引用）

それまでオーストラリアには人類がいませんでした。動物の王国だったのです。ジャイアントカンガルーにジャイアントコアラ、ディプロトドンや巨大なヘビなど、大型動物たちがたくさん住んでいました。

ところが、ホモ・サピエンスがオーストラリアに来てまもなく、これらの大型動物はすべて絶滅。人類はオーストラリアを変えてしまったのです。

アメリカでも同じことが起きています。人類がアメリカにたどり着いたときには、マンモスやマストドンというゾウに似た大型動物などがたくさんいましたが、やがてみんな絶滅してしまいました。

人間同士の戦争や虐殺以前に、動物たちが大量に殺されているのです。これこそが地球上で一番の負の歴史なのかもしれません。

▼おすすめ書籍

『人類の物語』ユヴァル・ノア・ハラリ／著　リカル・ザプラナ・ルイズ／絵　西田美緒子／訳　河出書房新社　2022年

世界的なベストセラー『サピエンス全史』（2016年）の著者による、小学生から読める人類史の本。イラストが豊富で、はるか昔のこともイメージしやすく描かれています。年表や地図なども充実しており、内容の理解が深まるでしょう。手軽に読める人類史としておすすめです。同著者の『ホモ・デウス』（2018年）も刺激的です。

視野を広げる、視点を増やす

普通、歴史というと、文字が使われるようになり、記録が残っている時代の出来事や変遷を言います。しかし、近年はもっと視野を広げて壮大なスケールで歴史を解釈しようとする試みが増えてきています。

世界中で話題を呼んだ『銃・病原菌・鉄』は、現代の世界における不均衡を解き明かそうとする本です。なぜヨーロッパ人がアフリカや中南米などを支配し、その逆ではなかったのか。そんな疑問を出発点に、進化生物学、生物地理学、文化人類学、言語学など幅広い知見を駆使して展開しており、読者の視野を大きく広げてくれます。

分厚い学術的な本ですから、簡単に読み通すことはできないかもしれませんが、著者はプロローグで本書の要約をしてくれています。

「歴史は、異なる人びとによって異なる経路をたどったが、それは、人びとのおかれた環境の差異によるものであって、人びとの生物学的な差異によるものではない」

（『銃・病原菌・鉄』（上）ジャレド・ダイアモンド／著　倉骨彰／訳　草思社文庫　2012年　より引用）

ヨーロッパ人の知恵や体力が勝っていたから、他の地域の人々より有利な立場で発展してきたということではなく、地理的偶然と生態的偶然でしかないというのです。主張が一本通っているのでわかりやすく、興味のある箇所を読むだけでも面白さを感じられると思います。

著名な歴史家ニーアル・ファーガソン氏による『スクエア・アンド・タワー』は、歴史を「ネットワーク」という視点で読み解こうとする本です。タイトルの「スクエア」は水平的なネットワーク、「タワー」は垂直に序列された階層型組織を象徴しています。

従来の歴史は、国家のような階層構造に注目してきました。

しかし、著者はこの500年の歴史の中で、社会的ネットワークが重要な役割を果たしてきたといいます。たとえば、産業革命や市民革命はネットワークによって生まれたのです。

ネットワークという視点を手に入れて歴史を見ると、なるほど、あれもこれもネットワークだなと発見があります。

エマニュエル・トッドの『我々はどこから来て、今どこにいるのか？』も視点を増やしてくれる面白い本です。統計学に基礎を置きながら、国や地域ごとの家族システムに注目して歴史を読み解いています。家族形態の推移とイデオロギーとの関連を分析し、フランス、イギリス、アメリカなどの「核家族型社会」、ドイツや日本、韓国の「直系家族型社会」、ロシアや中国の「共同体家族型社会」といった類型で歴史をとらえ直しています。その際、根拠になるのは統計です。

たとえば、乳幼児死亡率、出生率、識字率、高等教育を受けた者の比率といったデータや表がたくさん出てきます。慣れていない人は読みにくさを感じるかもしれませんが、これはこれでとても勉強になります。「家族」をキーワードに歴史を読み解くというのも、面白い試みですね。

▼おすすめ書籍

『銃・病原菌・鉄』（上・下）ジャレド・ダイアモンド／著　倉骨彰／訳　草思社文庫　2012年

1万3000年にわたる人類史の謎である「地域間の差はなぜ生まれたのか」を、幅広い学問の見地から解き明かそうとする本です。学術的な本としては異例の100万部を超えるベストセラーとなりました。「勝者と敗者をめぐる謎」「食料生産にまつわる謎」「銃・病原菌・鉄の謎」「世界に横たわる謎」の章立てにも惹かれますね。

『スクエア・アンド・タワー』（上・下）ニーアル・ファーガソン／著　柴田裕之／訳　東洋経済新報社　2019年

フリーメイソンからトランプまで、「ネットワーク」をキーワードに歴史をとらえ直す本。従来の歴史は国家などの階層型組織に注目してきましたが、本書では社会的ネットワークが歴史を動かしてきたという視点が加わります。「陰謀論」が気になる人も、読んでみると面白いと思います。

『我々はどこから来て、今どこにいるのか？』（上・下）エマニュエル・トッド／著　堀茂樹／訳　文藝春秋　2022年

ホモ・サピエンスの出現からトランプ登場までの人類史を、「家族」という視点から読み解く本です。上巻の中心テーマは「アングロサクソンがなぜ覇権を握ったか」。下巻では、「民主主義の野蛮な起源」として、元来、民主制が原始的で排他的であることを示しています。統計学を根拠に論が展開されており、データも興味深いです。

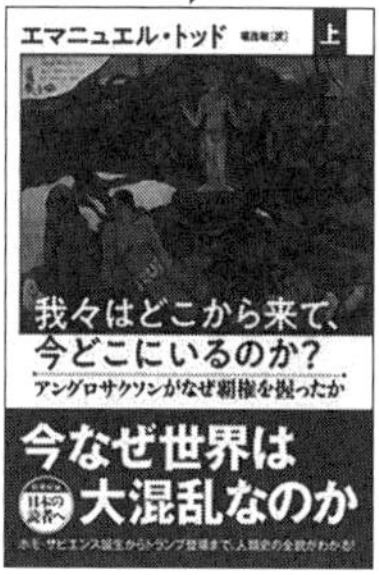

歴史をふまえて、ロシアのウクライナ侵攻を考える

歴史をふまえて、ロシアのウクライナ侵攻を考えてみたいと思います。21世紀においてこのような他国への侵略行為が起きてしまったことは、世界に大きな失望感、絶望感を与えました。

第一次世界大戦後、悲劇を繰り返さないために、国際平和の維持を目的として国際連盟が組織されました。それでも第二次世界大戦は起きてしまいました。そこで、より強力に世界の平和を守るために国際連合ができたという歴史があります。

ところが、その国連の中心となる「五大国」であり、国際紛争の解決において拒否権を持つ国が戦争をしかけてしまったのです。

五大国とはアメリカ、イギリス、フランス、中国、ロシアです。このうち一カ国でも拒否すれば、安全保障理事会に委託された国際紛争の解決は可決されないのが、国連の限界です。

国連が警察だとしたら、警察自体が罪を犯しているとでもいう事態です。こうなっては誰も制することができません。

なぜ、ロシアはウクライナに軍事侵攻したのでしょうか。

歴史をさかのぼれば、ロシアとウクライナは同じソビエトを構成する国でした。ソビエト崩壊後はそれぞれ別の国になりましたが、文化的に見てウクライナはロシアの心のふるさとのようなところがあります。ロシアの人たちからすれば、ウクライナは同じルーツを持つ特別な国であり、兄弟のような意識を持っているのです。

ところが、ウクライナはＮＡＴＯ（北大西洋条約機構）に近づいていました。ＮＡＴＯはロシアに対抗するために作られた組織です。加盟国がロシアに攻められたら、加盟国みんなで防衛するという目的で集まっています。ウクライナがＮＡＴＯに入れば完全に敵になってしまいます。

ロシアからすると、兄弟だと思っていたウクライナが敵側に入るなんて……！　とショックがあるわけです。

『我々はどこから来て、今どこにいるのか？』の中で、エマニュエル・トッド氏は「軍事支援を通じてＮＡＴＯの事実上の加盟国にして、ウクライナをロシアとの戦争に仕向けた米英にこそ、直接的な原因と責任がある」という考えを述べています。

２０１４年にロシアがクリミア半島を実質併合したときには、戦争に発展することはありませんでした。それでロシアは、ウクライナもいけると思ったのかもしれません。

しかし、クリミアの時は黙っていたＮＡＴＯが、ウクライナには大きな軍事支援をし、ウクライナ一国ではない状況を作り上げました。米英がロシアを誘い込んで弱体化させる狙いがあったのではないか、という見方もあります。

そうして見ると、この戦争のおかしなところは、米英が支援して戦争を続けているにもかかわらず、死ぬのはウクライナの人たちだということです。恐ろしいことですが、ウクライナの人たちを使った代理戦争的な面があるという見方ができます。ロシアが弱体化すれば、米英にとっては利益があります。

日本も代理戦争の枠組みにはめこまれたらどうなるでしょうか。たとえば中国は今とても国力がありますが、日本がアメリカから軍事支援を受けて中国と戦うとします。そうすれば、日本もやられますが中国を弱体化させることができる。そうアメリカが踏んでもおかしくありません。

もう一つ示唆的なのは、ウクライナの核保有の話です。

実は、ウクライナはソ連時代の核兵器を受け継いでいました。世界第3位の核保有国だったのです。

しかし、1994年にウクライナは核を放棄しました。放棄させるよう動いたのはアメリカ、イギリスとロシアです。ウクライナはロシアに巨額の借金があったため、核兵器をロシアに渡すことで返済しました。

ウクライナが核兵器を保有したままであれば、ここまで攻められることはなかったに違いありません。

日本は唯一、核兵器を使われたことがあり、核兵器に対して最も慎重な国です。ただ、今回改めて、核を持つ者と持たざる者の格差を見せつけられてしまいました。こうした現実を見る以上、他国に侵略されないために核兵器を持つ（あるいはシェアする）という考え方も、おかしなことではないでしょう。

しかし一方で、日本がこのような動きを見せれば、それを「脅威」として、日本への攻撃を正当化するきっかけを与えることになるとも予想されます。

日本国憲法にこめられた教訓と願い

日本は1945年8月14日にポツダム宣言を受け入れ、翌15日に終戦を迎えました。そして、それまでの「大日本帝国憲法」を改正した「日本国憲法」が成立しました。

特徴的なのは第9条です。「戦争を放棄し、戦力を持たず、交戦権も認めない」とする徹底的な平和憲法です。このように平和主義の理念をはっきりと規定している憲法は、世界に例を見ません。戦争の反省をふまえ、平和を願って作られています。

この憲法第9条によって、自分から攻めることはなく、防衛だけすると決めているわけですが、これは日本全体に共有されていると言えます。今の日本人の中に、他国へ戦争をしかけて領土を広げればいいと考えている人はほぼいないでしょう。憲法第9条は日本人の精神にしっかり根付いているのです。

問題はディフェンスのしかたです。現状の自衛隊ではディフェンスしきれないのではないかということが争点になっています。

自由民主党は、一貫して憲法改正を党の目標としてきました。そのうちの一つは、自衛隊を憲法の中にきちんと位置づけるというものです。

自衛隊は、自衛のための軍隊であって先制攻撃することはありません。それなら憲法9条に違反していないのではないか、と考える人もいます。

しかし、条文には「陸海空軍その他の戦力は、これを保持しない」とあります。自衛隊は陸上自衛隊、海上自衛隊、航空自衛隊で構成されており、戦車や装甲車、戦闘機、各種ミサイルなどのあらゆる機器を備えています。

また、アメリカで武器として使われている物資をいろいろと買い込んでいます。これは戦力と言わざるをえません。ですから、自衛隊が違憲かどうかという議論が繰り返し行われているのです。

自由民主党が2012年に出した憲法改正草案では、自衛隊を「国防軍」に改めるとしています。制約の多い自衛隊よりも、国際的にスタンダードな国防軍にしたほうが日本を守ることができるのではないかという考えです。

ただ、こういった目標を掲げている自由民主党が長いこと政権を握っているにもかかわらず、これまで憲法改正は実行されませんでした。

憲法改正はとてもハードルが高いのです。改正するには、衆議院と参議院、それぞれの総議員の3分の2以上の賛成を経たのち、国民投票で過半数の賛成を得る条件をクリアしなければなりません。

もちろん戦争はしたくない。かと言って、このままでは不安だ……。そう思いながらも、じゃあどうすべきか真剣に考えるのを避けてきた人もいるかもしれません。ロシアのウクライナ侵攻は、いよいよこの問題に真剣に取り組まねばならないことを示しているようです。

２０２２年12月16日、「国家安全保障戦略」など防衛に関する３つの文書の決定を受けて、岸田文雄内閣総理大臣の記者会見がありました。岸田総理はロシアのウクライナ侵攻にも触れ、この国を守り抜くには今の自衛隊の能力では十分ではないと述べました。

いろいろな意見があるのは当然ですが、防衛問題について現実的に考えなければならないときがやってきているのは事実でしょう。

大きな転換点となった人類の成功

ここまで、歴史上の失敗にフォーカスして話をしてきました。歴史を学ぶ大きな意義の一つは、失敗から教訓を得ることです。

ただ、失敗の話ばかりでは辛い気持ちになりますね。次に成功についても少し触れておきたいと思います。

大きな転換点となった成功はたくさんありますが、一つは文字の発明です。文字ができたことによって一気に文明が進んでいきました。

最も古いのは紀元前3500年頃、メソポタミアのシュメール人が発明した楔形文字だと言われています。楔形文字はメソポタミア文明を支えました。エジプト文明はヒエログリフ、インダス文明はインダス文字、黄河文明は漢字。文字によって情報が共有され蓄積されていきます。言葉自体はもっと前からあったのですが、文字が発明される前はあまり文明が発展しませんでした。


次に世界を変えたのは、科学の発展です。

とくにガリレオ・ガリレイに始まる近代科学は、人類を思い込みから解き放ちました。昔は宗教や哲学の一部だったものが、観察と実験、数学により現象を解き明かそうとするようになったのです。ガリレオ、ニュートン、アインシュタインといった科学者の成功は、世界に大きなインパクトを与えました。

私たちの生活が快適になったのも科学のおかげです。電気、電話、コンピュータ、プラスチックなどの工業製品。あらゆる科学的発明の成功が、人類に恩恵を与えています。

科学の発展に連動して、近代医学も発展していきました。そのおかげで、死亡者が減りました。とくに、乳児や小さな子どもの死亡が減ったのです。日本では医学が発達するまでは「7歳までは神のうち」との言葉があるほど、7歳まではいつ亡くなってもおかしくないという状況でした。

天然痘などの病気で亡くなっていく子どもたちを見ながら、小林一茶は「露の世は露の世ながら　さりながら」と詠んでいます。子どもの命を露にたとえ、露の世界ははかないものだとわかっているが、あまりにも不条理であるとその悲しみを詠んでいるのです。

長い間人類を苦しめた天然痘ですが、ワクチンによって撲滅に成功したのですから、すごいことです。ＮＨＫ『プロジェクトＸ　挑戦者たち』（アナログ総合　２００２年）では、日本人の蟻田功医師がリーダーとなって国際プロジェクトチームを率い、天然痘と戦う壮大なドラマが放映されました。１９８０年、ＷＨＯが天然痘の根絶を宣言しています。これは人類の科学の勝利と言えるでしょう。

あげればきりがありませんが、こういった成功があるおかげで、私たちの暮らしは良くなっているわけです。

最後に、歴史の教養を身につけるのにおすすめの本をいくつかご紹介して、本章の幕を下ろすことにしましょう。

▼おすすめ書籍

『角川まんが学習シリーズ　世界の歴史　全20巻定番セット』羽田正／監修　KADOKAWA　2021年

漫画大国日本は、こういった漫画シリーズで学習できてしまう素晴らしさがあります。角川の学習漫画は、新しい成果も盛り込んであり、とても充実しているので大人でも十分勉強になります。日本の歴史編もあるため、これらを一通り読めば、たいていのことは押さえられるのではないでしょうか。

『山川　詳説世界史図録　第4版』山川出版社　木村靖二、岸本美緒、小松久男／監修　2021年

オールカラーで写真がたっぷり、年表も細かく入っています。信じられないほど豊富な情報が詰まっていながら、価格はたったの860円＋税という安さ（2023年現在）。高校の副読本ですから、情報の確実性も担保されています。本格的に歴史を学んでみようという人は、手元に1冊置いておきましょう。

『いっきに学び直す日本史　古代・中世・近世　教養編』安藤達朗／著　佐藤優／編集・解説　山岸良二／監修　東洋経済新報社　２０１６年

日本史を一通り学び直したいときには、こちらの本でしっかり押さえるのもいいでしょう。教科書に解説が入っているタイプの本です。安藤達朗さんは、私が駿台予備校に通っていた頃の先生です。せっかちに喋る方でしたが、いつも機嫌がよく、楽しい授業をされていました。そんな懐かしさもあって、おすすめしたい本です。

第5章

芸術

本物に触れるとこんな発見がある

人として理想の状態を、「真・善・美」という言葉で表すことがあります。このうち「美」を扱うものが芸術です。「真」は、科学や哲学的な思考で真理を求めること。「善」は、道徳的に人はどう生きるべきか、ということです。

芸術には人の心を動かす力があります。ひらめきや感情的な刺激を与えてくれたり、鼓舞してくれたりするのが芸術の良さです。

資本主義社会、情報社会であれこれ考えていると、どうしても心が疲れてくるもの。慌ただしく日々を過ごしていると、なんだか薄っぺらくなっていくような感覚さえ覚えます。

そういうとき、本物の芸術に触れると、何かとても深いものに触れたような、魂の深いところで癒やされる、満たされる気がします。そういう意味で、現代は本物の芸術が持つ力がよりいっそう評価される状況にあるのではないでしょうか。

押さえておきたい美術作品と芸術家

□レオナルド・ダ・ヴィンチ「モナ・リザ」

こんなに素晴らしい作品を人間が生み出せるとは。美術作品に触れて、人類の知性の勝利だなと感じる瞬間があります。私は「モナ・リザ」（１５０３〜１５０５年／油彩／ルーブル美術館）を見たときにそう感じました。

名画揃いのルーブル美術館の中で、「モナ・リザ」はそれほど大きな作品ではありません。

しかし、圧倒的な存在感を持っています。「モナ・リザ」を見た後で他の作品を見ると、普通に見えてしまうというくらいのすごさがあるのですね。

何がそんなにすごいのでしょうか。

ダ・ヴィンチの絵は、輪郭線がありません。「スマフート」と呼ばれる、明るい部分から暗い部分まで、徐々に色を変化させせる絵画技法を使っているのですが、これが何とも不思議です。ぼやけているような、くっきりとも見えるような感じがするのです。現実の人間も、輪郭線はありませんよね。

ダ・ヴィンチの描いた人物は、本当にそこにいるかのような錯覚を覚えるほどリアルなのです。

しかも、「モナ・リザ」の背景は異様です。まるで地球創生の時のような大地に河が流れており、その手前で女性がほほ笑んでいるなど、現実にはありえない光景です。それなのに私たちは違和感なく見ています。これも、ダ・ヴィンチのうまさなのでしょう。

□印象派

モネ、マネ、ルノワール、ドガ、セザンヌ……。日本人は印象派の作品が好きですね。好きな美術作品を軸にして、その歴史や背景を学んでみるのもいいでしょう。

印象派は、19世紀後半のフランスで発生した芸術運動です。

それまでの芸術は、写実主義的な絵画が中心でした。肖像画など人物画が多く、テーマも聖書に沿ったものなど、理想的な美を写実的に描いていました。印象派の画家たちはそれを乗り越えて、画家の目に映った世界を描こうとしました。

印象派の作品は光にあふれ、建物のように硬いものを描いていても、ふんわりと見えます。また、近視の人がメガネを外すと、形がぼやけてキラキラした世界に見えます。私たちの目は、物に当たって乱反射した光の波を、網膜に映すことで物の形をとらえています。

ところが近視の人は、焦点がずれて形をとらえられずに、光そのものを見ているような感じになります。これは、言ってみれば「印象派の目」を持っているのです。

印象派の名前の由来となったのは、モネの「印象・日の出」（１８７３年／油彩）という作品です。実物を見に行きましたが、日の出の赤い部分は後ろから赤いライトでも照らしているのかと思うほど、浮かび上がって見えました。こういったモネの作品を見ると、絵画の世界のものの見方を変えたのだなということがわかります。

印象派グループの一人だったセザンヌは、のちに印象派を離脱し、独自の絵画様式を探求しました。そして、現代の抽象画への橋渡しとなるような表現方法を築いていきました。

セザンヌの有名な言葉に「一個の○○○でパリ中を『あっ』と言わせたい」があります。さて、○○○に入るものは何でしょうか?

答えは、「りんご」です。

私たちの感覚では、りんごは誰が描いても同じような絵になりますよね。

ところが、そうでないのがセザンヌのりんごです。一見、普通の静物画のようなのに、セザンヌの描くりんごは今にもテーブルからこぼれ落ちそうです。それは、2つの視点を同時に入れるという、ピカソの技法を先取りしているようなところがあるからです。

印象派グループに入ったことで、新しい表現法を身につけたセザンヌですが、それだけでは満足しませんでした。印象派の描く光の戯れではなく、もっと存在感のある絵を描こうと探求したのです。

サント・ヴィクトワール山の連作には、その覚悟が見られます。

□パブロ・ピカソ

ピカソというと、「ゲルニカ」（1937年／油彩）や「泣く女」（1937年／油彩）などの有名な絵画が思い浮かぶのではないでしょうか。そして、評価されていることは知っているけれど、イマイチよくわからないという人も少なくありません。

ピカソは、ジョルジュ・ブラックとともに20世紀初めのパリで「キュビスム」という新しい芸術の流れを生み出しました。

キュビスムは、対象を1つの固定された視点から描くのではなく、さまざまな面や角度から対象を描き出します。立方体のように、対象を幾何学的なパターンに還元して構成します。それまでの遠近法などの絵画のルールをひっくり返す、革新的な絵画様式なのです。

ピカソは晩年、「この歳になってようやく、子どものような絵を描けるようになった」

と言っていたそうです。子どもの頃から絵がうまく、10代の頃の作品も素晴らしいピカソですが、常に新しいものを吸収しようとしていました。そして、スタイルを変え続けたのがピカソのすごさです。

ピカソが20歳から23歳の頃は、青色を主体とした作品を多く残しており、「青の時代」と呼ばれています。背景も青、着ているものも青、顔も青みがかっているという攻めの描き方をしています。青の時代の絵は、ピカソのうまさがよくわかると同時に、そこに描かれている心象風景もよく理解できます。

その後、バラ色の時代、キュビスムへと変化していくピカソの作品を見ていくと、現代の絵画史の流れがわかると言えるほどの多作ぶり。時代によって、同じ人が描いたと思えないほど作風が違うのも稀有なことです。20世紀最大の芸術家と言われる所以《ゆえん》でしょう。

20世紀初頭にパリで活躍した日本人画家の藤田嗣治は、ピカソが自分の絵の前に立ってしばらく動かなかったので恐ろしさを感じたそうです。ピカソは、画家の本質的な部分を見抜き、それを取り入れてもっと良いものを作り出してしまうからです。そういうモンスターのような存在なのです。

□フリーダ・カーロ

現代の画家の一人として、メキシコのフリーダ・カーロ（１９０７〜１９５４年）もぜひ押さえておきたいところです。

フリーダ・カーロは自画像を多く描きました。太くつながった眉と民族衣装が印象的なカーロの自画像は、見覚えがある人も多いでしょう。

カーロは交通事故と30回以上にもおよぶ手術、流産、夫の浮気などさまざまな苦難を経験する中で、感情を絵画に表現していきました。

「傷ついた鹿」（１９４６年／油彩）は、矢が刺さり、血を流す鹿の顔の部分だけがカーロ自身です。苦しみが生々しく表現されている中にも、自尊心を持って生きていこうとする強さが感じられるのがカーロの絵画の特徴です。

私はカーロの作品が好きで、カーロの人生について書かれた本を何冊か読みました。ぜひ、そうした本と一緒に作品を楽しんでほしいと思います。

▼おすすめ書籍

『ちくま評伝シリーズ〈ポルトレ〉フリーダ・カーロ　—悲劇と情熱に生きた芸術家の生涯』筑摩書房編集部／著　森村泰昌／巻末エッセイ　筑摩書房　2015年

メキシコの画家、フリーダ・カーロの壮絶な生涯を、彼女の代表作とともに紹介している本です。高校生向けの評伝シリーズなので、さらりと読めます。こうした本でカーロの作品の背景を知ると、作品を目にしたときにより楽しめることでしょう。

□ミケランジェロの彫刻

彫刻作品なら、まず押さえたいのはミケランジェロ（１４７５〜１５６４年）です。ミケランジェロは、「彫刻とは石の中に埋まっているものを掘り出すのだ」という名言を残していると言われます。本当にミケランジェロがそう言ったのかどうかは不明なのですが、そう伝えられるほど天才的なのは間違いありません。実際に作品を見ると、本物を掘り出したような迫力なのです。

イタリア近くの小さな国、バチカン市国にあるサン・ピエトロ大聖堂には、ミケランジェロの彫刻作品「ピエタ像」があります。亡くなったイエスをマリアが抱きかかえているという彫刻です。

これを見ると、キリスト教徒でなくてもぐっと来てしまいます。１つの大理石から彫られたなんて信じられないほどの美しさ。どうやったらそんなことが出来るのでしょうか。普通は彫っているうちにバランスが崩れてしまうと思うのですが、ミケランジェロの彫刻は完璧なバランスなのです。

□ロダンの彫刻

近代彫刻の傑作を生んだ芸術家といえば、オーギュスト・ロダン（1840～1917年）です。「地獄の門」（原型は1880～1917年／ブロンズ）や「考える人」（原型は1881～1882年／ブロンズ）が有名ですね。どちらも、上野の国立西洋美術館で見ることができます。

「地獄の門」は、ダンテの『神曲』「地獄篇」をテーマにし、ロダンが生涯をかけて制作した作品です。『神曲』に登場する「この門をくぐる者は一切の希望を捨てよ」と銘された門をくぐり抜けると、そこは地獄なのです。

「考える人」は、もともと「地獄の門」の一部として制作され、門扉の中央上部に据えられたものですが、独立した作品にもなっています。

「バルザック像」（1891～1898年／ブロンズ）も素晴らしい作品です。パリのロダン美術館に行って見ましたが、ガウンをまとって堂々と立つ小説家バルザックがとてもかっこよく、バルザックの良さが出ているなと感じました（2023年4月現在は、前述した国立西洋美術館に寄贈されています）。

しかし、この像を注文したフランス文芸協会は、「偉大な作家を侮辱している」と受け取りを拒否したため、長い間日の目をみることがありませんでした。

バルザックのガウンに隠れた手はどうなっているのか？　実は股間を握っているというのがロダンの考えであるようです。制作過程ではいくつもバルザック像を作りましたが、ガウンを着ていない全裸バージョンがそうなっているのです。そんなことも知っていると、より楽しく芸術に触れられるかもしれません。

クラシック音楽は、指揮者や演奏者で聴き比べてみる

私は1人の孤独な時間に、大量にクラシック音楽を聴いていたことがあります。学生時代に東大の生協で、ある女性がクラシック音楽の話をしているのに、相手の男性が「俺、クラシックは全然わからないんだ」と答えているのを聞いて、これは良くないと思ったのです。そして、雑誌『レコード芸術』の別冊でクラシック音楽が特集されているものを買い、おすすめされているものをどんどん聴いていきました。

クラシック音楽という1つのジャンルだけとっても膨大な量がありますから、専門家のおすすめから聴くというのはいい方法ではないでしょうか。私は、音楽評論家の吉田秀和さんを頼りにしていました。

私自身、大量に聴きながら学んだのは、同じ曲を違う指揮者や違う演奏者で聴くとわかりやすいということです。

モーツァルトのピアノ協奏曲第20番が気に入り、CDを5枚、6枚と聴き比べてみると、これが全然違うのです。私が特に好きなのは、フリードリヒ・グルダによる演奏です。モーツァルトの交響曲第40番は、チャールズ・マッケラス指揮による演奏が疾走感があっていいなとか、ベートーヴェンの交響曲第5番「運命」はヴィルヘルム・フルトヴェングラー指揮の演奏が、迫力があってベートーヴェンらしい感じでいいななどとわかるようになってきます。

耳の良い方はすぐにわかるのかもしれませんが、私は一度聴いただけではピンと来ない耳を持っているもので、せめて同じ曲で違う演奏を聴き比べようということです。

もちろん、同じ作曲家の音楽をたくさん聴くことで発見もあります。

私はヴィヴァルディにハマり、ＣＤを20枚ほど購入して聴き続けていました。そのとき思ったのは、ヴィヴァルディはいくらでも音楽を作ることができるのだなということです。「四季」が有名ですが、他にも６００以上の協奏曲を作っており、どれも精度が高いのです。

しかしながら、似ています。似ているけれど違う曲を聴いていると、いつまでも聞き続けられるということです。私はこれに刺激を受け、自分の書く本が多少似ていても気にしないで生きていくことにしました。

また、クラシック音楽にあまり馴染みがない人は、クラシック音楽を題材にした漫画から入るのもいいと思います。

『のだめカンタービレ』（二ノ宮知子　講談社　２００２～２０１０年）はとても人気のある漫画ですね。アニメやドラマにもなっています。『ピアノの森』もおすすめです。ショパンコンクールに出る少年の成長物語で、名作です。ショパンの曲を聴きながら読んでみてはいかがでしょうか。

▼おすすめ書籍

『ピアノの森』一色まこと／著　講談社漫画文庫　2005〜2017年

森でピアノを弾いて育った少年が、ピアニストとして成長していく姿と周囲の人々のドラマを描いた漫画です。ショパンの名曲がたくさん登場するほか、ベートーヴェンやバッハなども。ぜひ音楽を聴きながらストーリーを楽しんでください。

有名なジャズ演奏者の演奏を聴く

ジャズも教養の一つと言っていいでしょう。ジャズは19世紀末から20世紀初頭にかけてアメリカのニューオリンズで生まれた音楽ジャンルです。西洋の音楽とアフリカ音楽を組み合わせて発展しました。

ジャズは「即興演奏」が大きな特徴で、ライブでは即興の掛け合いがとても楽しいですね。基本的文法をわかっている人たちがその場でアレンジしながら演奏をするのが大きな魅力です。

有名なジャズ演奏者としてまず知っておきたいのは、トランペット奏者のマイルス・デイヴィス（１９２６～１９９１年）です。

マイルスはそれまでの標準的なジャズの演奏方法「ビバップ」（指定のコード進行に合わせて、順番に即興演奏をしていくスタイル）を脱し、新しい「モード・ジャズ」というスタイルを確立しました。

モード・ジャズは、コード進行ではなく、スケールと言われる音階を使って、その音階の中で自由にメロディを奏でるスタイルです。

モード・ジャズのスタイルで作られたアルバム『カインド・オブ・ブルー』（1959年）はマイルスの代表作であり、ジャズ界における大ヒット作です。このアルバムの中の名曲「So What」は、マイルスの口癖がタイトルになっているそうです。マイルスらしさが感じられるとてもかっこいい曲です。

現代の日本にも、ジャズの天才がいます。ピアニストの上原ひろみさんです。若くしてジャズ界の著名人チック・コリアと共演するのだから、本当にすごい方です（『デュエット』〈2008年〉というアルバムも出している）。

私は上原さんのピアノが好きで、よくCDを聴いています。『MOVE』は特に好きです。こんなに正確に、それでいてたった今生まれ出た音楽かのような、ライブ感あふれる演奏ができるのかと感動します。せっかく日本から出た天才ジャズピアニストですから、CDを買って応援していただければ幸いです。

▼おすすめ書籍

『マイルス・デイヴィス自伝』マイルス・デイヴィス、クインシー・トゥループ／著　中山康樹／訳　シンコーミュージック　2015年

有名なジャズトランペット奏者、マイルス・デイヴィスの自伝です。著名なジャズプレイヤーたちの人物像がマイルスの視点で語られ、ジャズの歴史がよくわかります。マイルス自身の物語も面白く、ジャズファンでなくても読んで損はないでしょう。

オペラのおすすめ演目と、すごさがわかる動画

オペラは16世紀末から17世紀初頭、イタリアのフィレンツェで誕生しました。古代ギリシャの演劇を復興しようと集まった音楽家や詩人たちが、歌を中心にした劇を生み出したのが最初です。当初はギリシャ悲劇や神話を題材に作られていましたが、次第に当時の人々を描いた作品が好まれるようになっていきます。

日本ではそれほどオペラ鑑賞の機会がなく、ハードルが高いように感じると思います。私が通っていた中学校は、なんと体育館にオペラを呼んで「蝶々夫人」などの演目を観る機会を作ってくれていました。今考えると、ものすごく贅沢なことです。教育の一環で、低予算でやってくれていたのでしょう。実際、そのおかげで私はオペラにも馴染みやすかったように思います。

一般的には馴染みにくいオペラですが、よく知っている物語の演目なら入りやすいですね。「カルメン」や「椿姫」はわかりやすく、歌も聞いたことがあるはずなのでおすすめです。小説を読んだり、YouTubeの解説動画を見るなどして、ある程度予

習していくと安心して楽しめるでしょう。

教養としてぜひ知っておきたいのは、モーツァルトのオペラです。特に「魔笛」は笑える要素もあって、楽しい作品なのでおすすめします。子どもから大人まで楽しめ、世界で最も上演回数が多いと言われています。

「魔笛」の中に、とても有名な「夜の女王のアリア」があります。アリアというのはオペラの中でも聞かせどころなのですが、夜の女王のアリアはとんでもない高音が続くのです。人間業ではないような高音のアリアを、モーツァルトが書いてしまったんですね。

YouTubeで「夜の女王のアリア」と検索すれば、素晴らしい歌手の方々の動画が出てきます。これを見るだけでも、オペラのすごさがわかるというものです。

オペラの解説動画でおすすめしたいのは、オペラ歌手の車田和寿さんによるYouTube番組「車田和寿―音楽に寄せて」です。車田さんはオペラのストーリーだけでなく、音楽性までわかりやすく解説してくれています。

「魔笛」の「夜の女王のアリア」解説動画(https://www.youtube.com/watch?v=xuZxHMOZ7Kg)

では、このアリアがニ短調で始まることによって、夜の女王の復讐心を表現していると解説されていました。ニ短調はモーツァルトの一つの作戦であるようで、暗く、重苦しい運命的なものを表現する際にはよく使われているのです。有名な「ドン・ジョバンニ」で、殺された騎士長が亡霊となって登場する場面や、「レクイエム」の出だし、「ピアノ協奏曲第20番」などがニ短調で書かれています。

さらに興味深いのは、「夜の女王のアリア」はニ短調からへ長調に転調し、明るいイメージに変わることです。車田さんによると、実はこれはヒステリーによる狂気。怒りと復讐心で発狂して笑い出すような感じです。夜の女王が娘に向かって「あの男を殺しなさい、殺さなかったらお前はもう私の娘じゃない」と繰り返し、どんどん高音になってソプラノの限界を超えるくらいになって「アハハハハハ」と歌っているのです。

この解説を聞いてからオペラを観ると、本当にそう聴こえてきます。こういった素晴らしい解説をYouTubeで知ることができてしまいますから、すごい時代ですね。

▼おすすめ動画

YouTube番組「車田和寿―音楽に寄せて」https://www.youtube.com/watch?v=qhqTWRvcFxA

オペラ歌手の車田和寿さんが、クラシック音楽やオペラについて解説をしているチャンネルです。オペラのストーリーや見どころの解説だけでなく、実演もしてくれていたりするので、とてもわかりやすく楽しめます。音域や変調などの音楽的な要素に加えて、文芸作品にも通ずるような心理描写の裏側まで知ることができます。

ミュージカルはまず「オペラ座の怪人」と「レ・ミゼラブル」

オペラがクラシック音楽を使って歌中心で進むのに対し、ミュージカルはポップスやロックなどさまざまなジャンルの音楽と、お芝居やダンスも含めた表現で展開する演劇です。こちらは観たことがある人も多いでしょう。

ミュージカルにあまり馴染みのない人に紹介するならば、まずは「オペラ座の怪人」です。まぎれもなくミュージカルの傑作です。

フランスの作家ガストン・ルルーによる小説を原作としていますが、アンドルー・ロイド・ウェバーの作曲が素晴らしく、「オペラ座の怪人」といえば音楽が思い出される人もいるはず。あまりにもかっこいいので、フィギュアスケートでもよく使われます。オペラ座の怪人だらけになってしまうほどです。

迫力のある美しい音楽とともに、繰り返し公演が行われている傑作ですから、ぜひ劇場に足を運んでみてはいかがでしょうか。

私はロンドンのハー・マジェスティーズ劇場で観ましたが、素晴らしかったです。

劇場自体の美しさ、演出も相まって感動的でした。

サラ・ブライトマン（クリスティーヌ役は彼女のためと言われています）主演の、オリジナルキャスト版のＣＤを聴いては、当時の感動を思い返します。

「レ・ミゼラブル」も、教養として知っておくべきミュージカルの傑作でしょう。

原作はヴィクトル・ユーゴー（１８０２〜１８８５年／フランス）ですから、重厚感・安定感もお墨付き。有名な劇中歌も多く、特に「民衆の歌」は知っておきたいところです。革命を感じさせる名曲です。

それから、「夢やぶれて」も有名です。スコットランド出身のスーザン・ボイルさんがイギリスの才能発掘番組「ブリテンズ・ゴッド・タレント」に出場して、驚異的な歌声を披露しました。この番組出演をきっかけに、奇跡の歌姫としてデビューしたのです。

スーザン・ボイルさんが歌っている「夢やぶれて」の動画は検索すれば出てきますので、ぜひ見てみてください。人が勇気を持って夢を実現していく素晴らしさを感じます。ミュージカルや映画を知ったうえでこの歌を聴くと、さらにぐっと来ると思います。

また、ミュージカルはどんどん新しいものが出てくるのも面白いところです。私が大学で教えている学生の一人は、『北斗の拳』のミュージカル（「フィスト・オブ・ノーススター～北斗の拳」）を観に行って、すごく良かったと言っていました。『テニスの王子様』もミュージカルになっていますし、何でもミュージカル化する日本の文化も面白いですね。

歌舞伎の面白さ

日本の演劇として、まずは歌舞伎を押さえておきましょう。

歌舞伎は江戸時代に発展し、庶民の人気を博していた伝統芸能です。派手な衣装と化粧、「見得を切る」といった型が特徴ですね。セリフ回しが非常に面白く、江戸時代によくこんなに面白いものが考え出されたなと感心してしまいます。

「歌舞伎十八番」の一つ、「外郎売《ういろううり》」は有名なので入りやすいと思います。劇中に出てくる「拙者親方と申すは」から始まり「ういろうは、いらっしゃりませぬか」で終わる長ゼリフは、外郎売（小田原名物の万能薬を売る人）が、薬を買ってもらうためにその効能をよどみなく語って聞かせる口上です。今もよくアナウンサーの訓練に使われています。

「知らざあ言って聞かせやしょう」で有名な「白浪五人男」（『青砥稿《あおとぞうし》花紅彩画《はなのにしきえ》』）もおすすめです。作者は、江戸時代末から明治期に活躍していた河竹黙阿弥。黙阿弥が書くセリフは、七五調でリズムが良いのが特徴です。

弁天小僧が、正体がバレたときに語る名ゼリフは私もすっかり暗記してしまいました。「知らざあ言って聞かせやしょう　浜の真砂と　五右衛門が　歌に残せし　盗人の〜」という感じで、最後に「弁天小僧菊之助たぁ　俺がことだ」と名乗り出ます。

ちなみに講演会などで、参加者のみなさんと一緒に「俺がことだぁ〜〜〜」とどれだけ伸ばせるかをやると、私が常に勝ちます。たぶん1万人くらいに勝ってきたと思います。これは歌舞伎にはあまり関係ありませんね。

ただ、歌舞伎では足腰が重要な身体の芸です。腰が据わって、深い呼吸ができているときっぷがいい感じになるのです。ぜひ、こういった有名な歌舞伎の口上を声に出して言ってみてほしいと思います。

女形《おんながた》の美しさの追求も面白さの一つです。歌舞伎では男が女役をやりますが、女らしさを表現するための技術が磨かれ、魅力的に映ります。

私は、歌舞伎役者の坂東玉三郎さんと対談する機会が何度かあり、それをご縁に玉三郎さんの「京鹿子娘道成寺《きょうがのこむすめどうじょうじ》」などを観に行かせていただきました。どの瞬間をとっても絵になる美しさでした。

「能」と日本の腰肚文化

歌舞伎よりも歴史が長い伝統芸能が能です。南北朝時代から現代に受け継がれてきており、現存する演劇としては世界で最も長い歴史を持っています。独自の様式を持つ能舞台と、仮面をつけて舞うのが特徴です。

能について書かれた本と言えば、世阿弥の『風姿花伝』『花鏡《かきょう》』が有名ですね。

これらの次に読んでいただきたいのは、能役者の観世寿夫《ひさお》さんによる『心より心に伝ふる花』です。能のカマエ、ハコビ、呼吸などについての解説がとても興味深く、面白いです。

たとえば、カマエの説明はこうです。

舞台で、立っているということは、能の場合、前後左右から無限に引っ張られているその均衡の中に立つということなのだ。逆に言えば前後左右に無限に力を発して立つ。無限に空間を見、しかも掌握する。それがカマエである。

能の動きはゆっくりで抽象的ですが、歩き方についてはこう説明しています。

演者はやはり歩くことにおいても、歩く、という行為を超越して歩きたい。それがハコビである。

具体的には、腰の蝶番《ちょうつがい》のところに緊張を集め、一本の線のように抽象化された歩きかたをめざす。

（『心より心に伝ふる花』観世寿夫／著　ＫＡＤＯＫＡＷＡ／角川ソフィア文庫　２００８年より引用）

呼吸の研究をしていた私は、能の呼吸にもとても興味があります。観世さんは、「息は継いでも内臓はまったく動かさない、という呼吸のしかた」があると言っています。稽古を通して習得するのだそうです。

私が能を習っていたときに、舞台に立たせてもらったことがありますが、声を足の裏で感じる不思議な感覚でした。

日本には、息の文化と腰肚《こしはら》の文化があります。文化的に身体感覚が重視されてきたと言えるのです。能や歌舞伎には、それがよく表れていますね。

狂言は、能に似ていますが、セリフ中心の喜劇で親しみやすい伝統芸能です。「附《ぶ》子《す》」や「雷」などの演目は、私が総合指導として関わっているEテレの「にほんごであそぼ」でも扱っており、子どもたちにも人気です。ぜひ狂言にも触れてみてください。

▼おすすめ書籍と映像作品

『心より心に伝ふる花』観世寿夫／著　KADOKAWA／角川ソフィア文庫　2008年
（※販売は終了しています）

能役者・観世寿夫さんによるエッセイ集。世阿弥の著作を深く読み、解釈しつつ、現代の能を語ろうとした「心より心に伝ふる花」ほか、能面や装束について、発声についてなど、演技者としての経験を通して能の真髄を伝えるエッセイがまとまっています。

「〈NEWシネマ歌舞伎〉三人吉三」松竹　2016年

河竹黙阿弥の傑作歌舞伎を見事に映像化しています。キャストも豪華で、歌舞伎界の次世代を担うスターと称される、中村勘九郎さん、中村七之助さん、尾上松也さんなどが出演している作品です。映像で歌舞伎を見慣れていない方でも楽しめること間違いなしでしょう。ラストの吹雪のシーンが圧巻なので、ぜひご覧ください。

教養として知っておきたい映画の古典

□ヒッチコック監督作品

映画の教養として知っておきたいものの一つは、アルフレッド・ヒッチコック（1899～1980年）監督の作品です。「サイコ」（1960年）、「裏窓」（1954年）、「めまい」（1958年）などが有名ですね。不安や恐怖を盛り上げる演出が素晴らしく、サスペンスの神様とも言われています。ヒッチコックが作り上げた映画の文脈は、後世の映画にも大きな影響を与えました。

フランスの映画監督、フランソワ・トリュフォー（1932～1984年）がヒッチコックにインタビューしている『映画術』は、ヒッチコックの一流の技術や考え方が語られていて、とても面白いです。たとえば、サスペンスについて、サプライズと比較してこう語っています。

（サプライズとは、突然、テーブルの下に仕掛けられていた時限爆弾が爆発してびっくりする

ようなことだと前置きをしたうえで）

サスペンスが生まれるシチュエーションはどんなものか。観客はまずテーブルの下に爆弾がアナーキストかだれかに仕掛けられたことを知っている。爆弾は午後一時に爆発する、そしていまは一時十五分まえであることを観客は知らされている（この部屋のセットには柱時計がある）。これだけの設定でまえと同じようにつまらないふたりの会話がたちまち生きてくる。なぜなら、観客が完全にこのシーンに参加してしまうからだ。（中略）つまり、結論としては、どんなときでもできるだけ観客には状況を知らせるべきだということだ。

（『定本　映画術　改訂版』フランソワ・トリュフォー、アルフレッド・ヒッチコック／著　山田宏一、蓮實重彥／訳　晶文社　1990年　より引用）

また、印象的なシーンについて、そのワザを解説しています。たとえば「断崖」（1941年）の中で、夫が自分を殺そうとしているのではないか？　という疑念にとらわれた妻の元に、夫がミルクを持って階段を上がってくるシーンがあります。ただのミルクなのに、すごく怖いのはなぜでしょうか。ヒッチコックは、ミルクの中に豆電球を入れたのです。ミルクを白く光らせることで強い印象を残しているのでした。

□タルコフスキー監督作品

ソ連の映画監督、タルコフスキー（1932〜1986年）は「惑星ソラリス」（1972年）や「ノスタルジア」（1983年）が有名です。

タルコフスキーの映画は、芸術的です。美術作品として見ていただくのがいいでしょう。タルコフスキー自身、映像の詩というものがあってもいいではないかという考えを持っていました。難解だけれど、美しいのです。それがわかっていれば大丈夫なのですが、知らずに観るとちょっと驚くかもしれません。

有楽町の映画館で「ノスタルジア」を観たときのことです。終わった瞬間に、「みんなに言っておく。この映画を作ったやつは、間違いなく狂っている！」と観客の一人（おじさん）が叫びました。いまだに忘れられません。

独自の映像美が追求されていますので、その芸術性を楽しんでほしいと思います。

□ロッセリーニ監督「無防備都市」

イタリアのロッセリーニ（1906〜1977年）も押さえておきたい映画監督です。「無防備都市」（1945年）は、第二次世界大戦中、ドイツ占領下のローマであったレジスタンス活動を描いた作品。素人を俳優として使い、リアリティを出しています。当時、ネオレアリズモという、リアルに現実を描写する潮流が生まれていました。ネオレアリズモの中で最も有名なのが、この「無防備都市」です。フランスのヌーヴェル・バーグにも大きな影響を与えたと言われています。

□黒澤明「七人の侍」

日本の映画監督では、黒澤明（1910〜1998年）は外せません。世界的に尊敬される映画監督です。映画「七人の侍」（1954年）はあまりにも傑作で、乗り越えるのが難しいですね。ハリウッドでも「荒野の七人」としてリメイクされていますし、BBCによる「史上最高の外国語映画」1位（2018年）にも選ばれています。

侍たちが戦うアクションシーンがかっこいいのに加え、クライマックスの豪雨には墨を混ぜるなど、迫力を増す工夫が随所にされています。主演の三船敏郎もド迫力。製作費も時間もかけて撮られた映画で、ダイナミックさが半端じゃありません。やはり映画はこうでなくちゃと思います。

□小津安二郎「東京物語」

黒澤明の映画がダイナミックであるのに対し、小津安二郎（1903〜1963年）の映画は静かです。「東京物語」（1953年）は、上京してきた両親と家族たちを淡々と丁寧に描いた作品です。特別ドラマチックなことが起こるわけでもなく、ハラハラする展開があるわけでもありません。

しかし、家族関係の描写や情景描写が美しく、味わい深いのです。海外からの評価も高く、教養として知っておきたい映画の一つと言えます。

流行りの映画もどんどん観よう

映画の古典作品をいくつか取り上げました。まだまだご紹介したい映画はあるのですが、きりがありません。私は1日に1本映画を観ることを課題にしているくらい、大量に映画を観ています。もちろん、今流行している映画も観ます。

「君の名は。」（監督：新海誠　２０１６年）も観に行きましたし、「アナと雪の女王」（ディズニー映画　２０１３年）も観ました。私は客層とだいぶ違うなとは感じましたが、楽しめました。その他では、「THE FIRST SLAM DUNK」（監督：井上雄彦　２０２２年12月公開）ですね。

流行っているものは、時代を投影しているものです。その時にしか感じられない空気感のようなものがあります。ですから、どんどん観に行きましょう。映画を1本作るのにも、たくさんの人のエネルギーが結集されています。観て損することはあまりないでしょう。

第6章

言葉と文学

今こそ知るべき日本語と日本文学

日本語は、日本人の教養のベースとなるものです。

日本人なら自然にできるだろうと思うかもしれませんが、意外とそうでもありません。私は『声に出して読みたい日本語』（草思社）をはじめ、日本語の本をいろいろ出しています。日本人に向けた日本語の本です。ちょっと不思議な感じもしますね。でも、需要があるのです。それだけ日本語は奥が深く、勉強が必要ということです。

近年は語彙力に注目が集まっているようですが、実際、語彙力は人によってかなり差があります。読書をしている人の語彙は豊富です。なぜなら、書き言葉のみで使われる言葉がけっこうあるからです。

より多くの語彙を身につければ、当然ながら表現が豊かになります。8色の色鉛筆しか持っていない人と、200色の色鉛筆を持っている人では、どちらが色彩豊かな美しい絵が描けるか。もちろん後者ですよね。語彙が豊富であれば、相手に伝える際の表現も豊かになるのです。

さらに言うと、言葉の豊かさによって、見える世界が変わります。思考は言葉を使って行われます。思考を広げるには、たくさんの言葉を持っていることが大事です。

言葉が乏しければ、思考も狭くなってしまいます。

また、どんな言葉を使うかで、相手に与える印象は大きく変わります。会話をしていて、「この人は教養があるな」「知的だな」と感じるのは、語彙の豊富さによるところも大きいはずです。

古文を音読して、日本語の豊かさに触れる

古文は苦手という人は多いと思います。古文嫌いの原因は、文法を学ばせることではないでしょうか。助動詞の活用など私も覚えましたが、全然楽しくありません。文法を勉強するより、音読するほうがよほどいいと思います。

私は、古文は日本語の語彙の豊かさを楽しむものだと考えています。

たとえば「平家物語」を音読すると、見事な語りの文学だということがわかります。声に出して読むと気分が良くなるのです。もともと琵琶法師が語ったものだからでしょう。語り伝えながら磨き抜かれた言葉ですから、つい口に出して言いたくなるパワ

ーを持っています。

那須与一が敵船の扇を射る有名な場面では、「扇も射よげにぞなったりける」。これを音読していたら、「扇も射よげにぞなったりけり」とは絶対言いません。「係り結びだから、終止形ではなく連体形です」なんて言われなくてもわかります。「ぞ」と来たら「ける」に決まっている、という感じになるのです。「ぞ〜ける」がかっこいいからです。言葉に勢いが出て、締まりが出ます。

そのため、合戦の場面では、この係り結びが多用されます。那須与一も「ひいふっとぞ射切ったる」「扇は空へぞ上がりける」「海へさっとぞ散ったりける」ということで、係り結びが連発されて勢いが出ているのです。

こういったことは文法なんて知らなくてもわかります。

それに、古文を訳す能力は必要ありません。すでに優れた訳がそろっていて、私たちはそれを読むことができるからです。

英語は、文法の知識や訳す能力が必要です。新しい言葉や文章がどんどん出てきますし、相手の言っていることがわからなければ困りますから。

しかし今、古文で手紙をやり取りする人はいませんよね。有名な古文には、多くの場合現代語訳が存在しています。それを読んで意味を理解すればいいのです。ですから、先に現代語訳を読んでから古文を音読するのが一番です。意味を理解しながら豊かな語彙を感じることができるでしょう。

源氏物語をどの訳で読むか

有名な古文の中で、最も難しいのは『源氏物語』です。訳はたくさん出ており、迷うかもしれません。おすすめをいくつか紹介しておきましょう。

まず、与謝野晶子訳です。訳が古くて難しいのではないかと思うかもしれませんが、これが案外読みやすい。論理的で、筋がテキパキとわかる良さがあります。与謝野晶子自身の語彙が豊かなので、素晴らしい訳になっています。

他に文学者の訳したものとして、谷崎潤一郎訳があります。あの谷崎潤一郎が『源氏物語』を訳しているというだけで、尊い感じがしませんか？　与謝野晶子訳も谷崎潤一郎訳も、出版当時に大ベストセラーになり、源氏物語ブームを巻き起こしています。このあたりは家に置いておきたいですね。

古典文学者で作家の林望先生による『謹訳　源氏物語』（祥伝社文庫　改訂新修は2017〜2019年）も素晴らしい訳です。現代小説のように読みやすいけれども、気品のある古文の香りもします。

それから、古典エッセイストの大塚ひかりさんが訳している『源氏物語』もおすすめします。訳が自然で読みやすいだけでなく、解説がとても勉強になります。

たとえば、光源氏が夕顔と一緒に過ごした枕元に物の怪があらわれ、夕顔が亡くなってしまうという話があります。その物の怪は美しい女性で、「こんな格段のこともない人を連れて可愛がっておられるとは、あまりにひどい、恨めしい」と言うのです。この物の怪は六条御息所《ろくじょうのみやすんどころ》の生霊でしょうか？　解説ではこの物の怪についての考察がいろいろ書かれていて、興味深いのです。

当時の物の怪と言えば、死霊であるのが常識でした。ですから常識で言えば、生きている六条御息所が物の怪になるはずがありません。

しかし紫式部は、物の怪は生者の良心の呵責が見せる幻影なのだという発想を持っていたようです。それは紫式部が詠んだ歌（亡き人にかごとをかけてわづらふも　おのが心の鬼にやはあらぬ）からも見てとれます。大塚さんは、この時点での物の怪は光源氏の罪悪感が見せた幻影だろうという解釈をしています。

その後、「葵」の巻で六条御息所がはっきりとした形で生霊として登場します。『源氏物語』の中でもハイライトとなるシーンです。これについて、『源氏物語の〈物の怪〉』（藤本勝義／著　笠間書院）を引きながら、「生霊」が源氏物語で初めて描かれていること、しかも霊としてとりついた側を主体としている特異性を述べていました。

物語を楽しみながら、知識も得ることができる1冊でしょう。

▼おすすめ書籍

『大塚ひかり全訳　源氏物語』全6巻　大塚ひかり／訳　ちくま文庫　2008〜2010年

古典エッセイストの大塚ひかりさんが、原文に忠実な逐語《ちくご》訳をしつつ、解説を加えています。「ひかりナビ」として随所に差し込まれた解説が面白く、勉強になります。名作でしかも古典と言われると大層な響きに聞こえますが、本書を読めば、『源氏物語』がいかに時代を超えて楽しめるエンタメ作品であるかが実感できるでしょう。

平安時代は、「人は教養が9割」？

『源氏物語』には、日本語の豊かさがつまっています。

大塚ひかりさんの解説によると、当時の人たちの話し言葉はかなりこれに近かったようです。本当にこんなに美しい言葉で話せたのだろうかと不思議に思ってしまいますが、少なくとも当時の貴族たちの日本語力は相当高かったのでしょう。何気なく和歌をやりとりしてしまうのですから。和歌の力がなければ、恋愛もできないというくらいです。

手紙の文章に教養を感じられたら「この人は素敵」と思い、変な文章だったら「ちょっとこの人とは付き合えない」というのがこの時代の貴族たちです。顔を見たこともない状態で恋愛をし、顔を見る＝男女の関係を結ぶということだったのです。

これは、近年のベストセラーになぞらえれば「人は教養が9割」です。教養こそ、真の魅力。教養で人を判断するのであれば、ルッキズムの時代よりいいですね。芸能人同士の子どもの見た目について「生まれた瞬間から勝ち組ですね」といったコメントが付けられているのを見るにつけ、私は苦々しく思っています。

見た目ばかりが重視されることの問題点は、知性を磨く努力をする気がなくなることです。教養がある人がモテるとなれば、教養を身につけようと努力するでしょう。

その結果、全員がモテるとは限りません。しかし、たとえモテなくても教養が身についた分、いいではないですか。もう少し、教養に対する評価が高くてもいいのではと思います。

ただ、残念なことに光源氏は最高の見た目をしています。がっかり。でも、光源氏は教養も併せ持っていた人物なので、その点は忘れないでください。

紫式部のマルチタレントぶり

『源氏物語』は、1000年以上前に書かれた物語（1008年に執筆中だったことがわかっている）なのに、日本文学の頂点に立ち続けています。

ノーベル文学賞を受賞した川端康成はじめ、多くの文学者が到底かなわないと言っているのです。こんな文学は、世界を見回してもめったにありません。『西遊記』は1580年頃に書かれたものですし、『ドン・キホーテ』だって1605年の出版です。『源氏物語』のような素晴らしい文学が、1000年前の日本でよく生まれたものだと感動を覚えます。

『「源氏物語」の色辞典』（吉岡幸雄／著　紫紅社）や、『源氏物語の植物』（広川勝美／著　笠間書院）といった本もあり、いろいろな角度から切り取って1冊の本になるほど豊かな世界です。

もちろん、和歌も素晴らしい。光源氏をはじめ登場人物たちが、物語の中で歌を詠みますが、当然ながらすべて紫式部が作っています。登場人物に合わせた歌を作るのですから、紫式部は歌人としてもすごいのです。

また、当時の女性はあまり漢学を学ぶことがありませんでしたが、紫式部は漢学の素養がありました。同時代の清少納言もそうです。２人とも漢学の素養と大和言葉とを組み合わせ、男性の文学者がたどりつけないような最高峰に位置してしまったのです。

日本文学者、日本学者のドナルド・キーンさんが日本文学にほれ込んだきっかけは、『源氏物語』です。1940年、18歳のときにニューヨークの書店で英訳された『源氏物語』に出会い、夢中になって読んだといいます。

そして一生懸命勉強して、日本語が読めるようになるのです。ドナルド・キーンさんは、日本語は素晴らしい、言葉は永遠に生き続けるものなのだと「100年インタビュー」（NHK総合　2019年）でお話しされています。

日本人は日本語が読めるのですから、『源氏物語』をそのまま味わうことができます。目の前に大傑作があるのに、読まないとは何事かと思ってしまいます。

世界最小の詩・俳句を楽しもう

日本文学の素養として知っておきたいものに、俳句があります。

ＴＢＳ系列のバラエティ番組『プレバト!!』（２０１２年〜）には俳句のコーナーがあり、とても人気があります。俳優やタレントさんが俳句を詠み、それを俳人の夏井いつきさんが査定して、「才能アリ」「凡人」「才能ナシ」と判定するのです。

私はこの番組が好きでよく視聴するのですが、梅沢富美男さんや中田喜子さんなど、俳句がうまい人がたくさんいて驚きです。夏井いつき先生の辛口添削や、出演者同士ランクを競い合う様子も見どころです。『プレバト!!』によって、俳句人口は増えたことでしょう。この番組を見て、俳句を実作するようになった子どもたちは多いと聞きます。日本文化に貢献している素晴らしい番組だと思います。

俳句を学ぶと、感性が豊かになります。俳句は、季語を中心に五七五の制約の中で情景や心を表現する、言葉の芸術なのです。

大学では、学生たちに句会をやってもらうことがあります。お題を出して俳句を作り、それぞれが作った句を批評してもらったり、他の人が作った言葉に新たな言葉を続けて句を完成させたりすると、けっこううまくできます。ひょっとすると日本人はみんな詩人になれるのかもしれません。

俳句は詩の一つです。五七五のたった17音で表現する、世界最短の詩なのです。俳句というと特殊なもののように思うかもしれませんが、世界的な文学のかたちだと考えて差し支えありません。

『図鑑　世界の文学者』（ピーター・ヒューム／著　齋藤孝／監修　東京書籍）という本では、松尾芭蕉が大きく取り上げられています。彼が文学者として、世界に認められている証拠ともいえるでしょう。

一度聞いたら忘れられない、芭蕉の句

松尾芭蕉（1644～1694年）は、俳句を芸術の域に高めた人として知られています。もともと、伝統的な連歌（五七五と七七に分けるなど、2人以上で歌を詠む形式）が江戸時代に入って分岐し、しゃれやこっけい味を楽しむ「俳諧連歌」が生まれていました。その発句となる五七五を独立させたものが俳句で、芭蕉がこれを芸術として完

成させたのです。

『芭蕉全句集　現代語訳付き』（松尾芭蕉／作　雲英末雄、佐藤勝明／訳注　KADOKAWA／角川ソフィア文庫　２０１０年）は、現代語訳つきで９８３の全句を読むことができます。訳を読んで原文を読むと、味わいがよくわかるでしょう。芭蕉の句は、一度聞いたら忘れられないような、うまさがあります。

秋深き隣は何をする人ぞ
（訳：深まっていく秋に、しいんと静まり返った隣家は何をして暮らす人だろうか）

有名な句です。味わい深く、忘れられない感じがします。

面白《おもしろう》てやがてかなしき鵜《う》ぶね哉《かな》
（訳：鵜舟の漁は面白くても、やがてそれが過ぎると悲しくなることだ）

「面白てやがてかなしき」というのがいいですね。

梅若菜まりこの宿《しゅく》のとろゝ汁《じる》

（訳：これからの道中、梅や若菜が目を楽しませるであろうし、鞠子《まりこ》（丸子）の宿ではうまいとろろ汁が待っていよう）

静岡の丁子屋というとろろ屋さんに、芭蕉の句の石碑があります。まりこの宿（鞠子の宿、丸子宿）は東海道五十三次の21番目の宿場で、とろろ汁が名物でした。

こんなふうに、芭蕉はあちこちに言葉のお土産を残しています。芭蕉に句を作ってもらったら、その地域の宝になりますね。

『おくのほそ道』は、江戸から奥州・北陸の名所をめぐって旅をする芭蕉の紀行文です。句集に加えて、こちらも読むといいでしょう。

▼おすすめ書籍

『おくのほそ道（全）ビギナーズ・クラシックス　日本の古典』松尾芭蕉／著　角川書店／編　ＫＡＤＯＫＡＷＡ／角川ソフィア文庫　２００１年

松尾芭蕉の有名な紀行文です。現代語訳はもちろん、解説が充実しており、地図や写真などの資料も多く掲載されています。原文もふりがな付きで載っているので、音読で味わうのもいいですね。声に出すと、日本語のリズムが体にしみこんでくるでしょう。

感覚的にわかる、共感できる小林一茶

俳句では小林一茶（1763～1828年）も押さえておきましょう。「雀の子そこのけそこのけお馬が通る」や「我と来て遊べや親のない雀」、「名月をとってくれろと泣く子かな」など有名な句がたくさんあります。

一茶の句は感覚的にわかるところがあって、Eテレ「にほんごであそぼ」で子どもたちに教えると気に入ってくれます。

たとえば、「むまさうな（うまそうな）雪がふうはりふはりかな」。子どもでも、雪がふわふわ降ってきて、おいしそうだなぁと思う情景がすぐに浮かぶのです。「やせ蛙負けるな一茶是《これ》にあり」のように、弱い者の視点に立っていて共感できるのも、一茶の句の良さです。

五七五という短い表現が、時代を超えて共感できるのだから素晴らしい。現代の人が詠んでもおかしくないと感じます。これを江戸時代に一茶が詠んだのか、と不思議な気分になります。

ちょっと笑える句もあります。「年寄りや月を見るにもナムアミダ」なんて、ユーモラスでおかしいですね。こんなふうに、一茶の句をいろいろ見ると俳句のハードルも下がって、楽しめるのではないでしょうか。

現代の俳句と短歌

現代俳句では、坪内稔典さんの句がおかしみがあってとても良いので、ぜひ読んでみてください。

三月《さんがつ》の甘納豆《あまなっとう》のうふふふふ（『坪内稔典句集　落花落日』海風社　１９８４年　所収）

吾輩《わがはい》は象《ぞう》のうんこだ五月晴《さつきば》れ（『坪内稔典句集　猫の木』沖積舎　１９８７年　所収）

ヤツとオレ蛸《たこ》をば突いて七十年（『句集　ヤツとオレ　角川俳句叢書　日本の俳人１００』ＫＡＤＯＫＡＷＡ　２０１５年　所収）

こういったものなど、軽やかな言葉で想像をふくらませてくれる句が多く楽しめます。学生に教えたところ、「こんなに面白いものは初めて読んだ」と言って喜んでくれた人がいました。

近代の歌人として有名なのは与謝野晶子ですが、その与謝野晶子以来の歌人といわれているのが河野裕子《かわのゆうこ》さんです。河野裕子さんの夫の永田和宏さんは、細胞生物学者をされながら高名な歌人でもあります。日本の至宝のようなご夫婦です。

40年にわたる、お二人の恋の軌跡を収録した『たとへば君《きみ》　四十年の恋歌』という本があります。大学で出会ってから、河野さんが2010年に乳がんで亡くなるまで、お二人は互いを想って歌を詠み続けてきました。素晴らしい歌人のお二人が、40年も恋歌をやりとりしているという、そのこと自体が奇跡です。タイトルの「たとへば君」は、河野さんの代表作の一つであるこの歌から来ています。

たとへば君　ガサッと落葉すくふやうにわたしを攫《さら》つて行つては呉れぬか

お二人が出会った頃の歌です。その後結婚して子どもをもうけ、生活の中ではいろいろと大変なことがありながら、それを全部歌にしていきました。乳がんを患い、余命いくばくもないときも、河野さんは病床で歌を詠み続けます。

最後の一首はこうでした。

手をのべてあなたとあなたに触れたきに息が足りないこの世の息が

この歌を詠んだ翌日に、河野さんは亡くなりました。翌年、永田さんは「わたくしは死んではいけないわたくしが死ぬときあなたがほんたうに死ぬ」という歌を詠んでいます。自分が死ねば、自分の中に生き続けている河野さんが本当に死んでしまうという想いを表現しているのです。

日本の伝統的な文学が現代にも生きており、これほどに心を動かすとはなんとすごいことでしょう。

▼おすすめ書籍

『たとへば君　四十年の恋歌』河野裕子、永田和宏／著　文春文庫　２０１４年

大学での出会いから、妻が乳がんで亡くなるまで、40年にわたり歌人夫婦が詠んだ歌とその背景がまとめられた本です。日本の伝統的な文学の歌に、実際の生活と究極の愛が凝縮されている素晴らしさ。こんなに泣かされる歌集はなかなかありません。

日本の近代文学は優れた作品だらけ

日本の文学が世界の最高峰に位置していた時期があります。
川端康成が1968年、大江健三郎は1994年にノーベル文学賞を受賞しているので、この2人が思い浮かぶかもしれませんが、この2人だけが評価が高いというわけではありません。三島由紀夫は世界的に評価されていましたし、谷崎潤一郎もそうです。芥川龍之介、夏目漱石、森鷗外など近代の日本には世界レベルの優れた文学者がたくさんいたのです。

近代文学の有名な作品は、教養として読んでおくべきでしょう。
夏目漱石（1867〜1916年）の「坊っちゃん」は読みやすく、小学生と一緒に音読すると笑ってくれます。漱石の語彙力があふれ出ていて、面白い言葉が連発で出てくるのです。

漱石の作品はどれもこれもいいのですが、ここでは『私の個人主義』をおすすめしたいと思います。これは漱石の講演録です。漱石は話し言葉も素晴らしく、内容が充実していて、人間性の高さがわかります。私の講演は笑わせようという気持ちが強すぎて、漱石の講演会のように気品高くないなと反省しました。

漱石は、「自己本位という言葉を自分の手に握ってから大変強くなりました」と言っています。ロンドンに留学してノイローゼになってしまった彼は、西洋人のマネをしたり、西洋人の顔色をうかがうのではなく、自分として学問・文芸をやればいいのだと気づいたのです。

この体験を、漢学者の岡田正之からの求めで、学習院輔仁会で生徒に向けて語っているのが『私の個人主義』です。将来は国の中で重要な地位につくかもしれない生徒たちに向かい、「一つ自分の鶴嘴《つるはし》で掘り当てる所まで進んで行かなくっては行けない」と伝えています。「ああここにおれの進むべき道があった！　ようやく掘り当てた！」心の底からこう思えるからこそ、自信を持って進めるのだということです。

講演録と言えど、漱石の熱い言葉が綴られた芸術作品だなと感じます。

それから、私が大好きな作品として幸田露伴（1867〜1947年）の『五重塔』

をおすすめしておきましょう。

主人公は、普段はぼんやりしていて「のっそり十兵衛」と呼ばれている大工の十兵衛。職人気質で腕は確かです。彼は、谷中感応寺に五重塔が建設されると聞き、棟梁として取り組みたいと熱望します。さまざまな妨害を乗り越え、塔を完成させる物語です。

特筆すべきは幸田露伴の日本語力です。音読するとそのリズムの良さ、日本語の奥深さ、味わい深さに感嘆します。幸田露伴の日本語を知ると、私たちはほとんど日本語を知らないのだなと思ってしまいます。

『五重塔』を子どもにも音読してもらいたいと、字を大きめに、すべてにふりがなを振って本を出したことがあります（『齋藤孝の音読破４　五重塔』小学館）。小学生にはちょっと渋かったようですが、音読が好きだという漫画家のやくみつるさんにこの本をプレゼントしたところ、大変喜んでくれました。やくさんは音読するための部屋を持っているくらい、音読が好きなのです。「これはすごい本ですね」とお褒めいただきました。

▼おすすめ書籍

『私の個人主義』夏目漱石／著　講談社学術文庫　１９７８年

文豪・夏目漱石は講演の名手でもありました。漱石の根本思想である近代個人主義を語った「私の個人主義」のほか、４つの講演をまとめています。話し言葉も面白く、とても充実した内容の講演で、漱石の人間性の高さがうかがえます。

『五重塔』幸田露伴／著　岩波文庫　１９９４年

幸田露伴の代表作です。主人公の大工・十兵衛の心意気、狂気にも似た執念と、クライマックスの大嵐のシーンが高く評価されています。文語体で難しく感じるかもしれませんが、ぜひ音読して味わってほしい日本語です。

日本語で独特の世界を作り上げた宮沢賢治

宮沢賢治（１８９６〜１９３３年）は独特な存在です。

彼その人だけで、日本文学の一つの分野を作っているような特異な才能の持ち主です。独特の世界観と飛びぬけた想像力で、美しい童話や詩を作りました。童話「銀河鉄道の夜」や「注文の多い料理店」が有名ですね。

言葉もどんどん作っています。「イーハトーブ」は賢治の造語で、理想郷を意味しています。童話「やまなし」に出てくる「クラムボン」も、賢治が作った言葉です。

詩「雨ニモ負ケズ」が有名ですが、他にも素晴らしい詩がたくさんあります。「眼にて云ふ」という詩は、重病で血を吐き、ものを言えない状態になっている「わたくし」が世界の美しさを歌った詩です。黒いフロックコートを着た医者らしき人がいろいろ手当てをしてくれているそばで、美しい自然を見つめています。詩はこう終わります。

あなたの方からみたらずゐぶんさんたんたるけしきでせうが
わたくしから見えるのは
やっぱりきれいな青ぞらと
すきとほった風ばかりです。

（『宮沢賢治全集2』宮沢賢治／著　ちくま文庫　1986年　より引用）

アーティストの米津玄師《よねづけんし》さんは宮沢賢治が大好きだそうです。「カムパネルラ」という曲もありますし、「恋と病熱」は賢治の詩のタイトルを借りています。ライブの中で賢治の詩を暗唱することもあるそうです。米津さんの独特の雰囲気は、賢治の影響もあるのかもしれません。

稀有な日本語の能力と、自然に対する豊かな想像力を感じることができますので、宮沢賢治はぜひ一通り読んでほしいですね。全集も文庫で出ています。

日本語と文化を守っていく意識を持つ

はるか１０００年前に『源氏物語』という最高峰の文学が生まれ、その後も近代になって世界的に評価される文学が次々に出たわけですから、日本語は文化的な達成をなしてきたと言えます。日本語は言語として成熟しているから、翻訳されても水準の高い作品になるのです。

ところが、この水準に陰りが見えると言われるようになっています。

作家・評論家の水村美苗さんは『増補　日本語が滅びるとき　―英語の世紀の中で』（ちくま文庫）で、このままでは日本語のレベルを維持できないかもしれないという危機感を訴えました。タイトルのインパクトも手伝って、刊行当時、大きな話題となった本です。

水村さんは、日本の近代文学を愛してやまない方です。夏目漱石の未完の作品『明暗』の続きとして、『続　明暗』（ちくま文庫）を見事に書き上げるという偉業を成し遂げています。

日本の近代文学をリスペクトするからこそ、水村さんは現状の日本文学に不安を抱いているのでしょう。近代文学が高めてきた日本語の水準が維持できず、世界における日本語の地位が失われるのではないかという危機感があるのです。

グローバル化が進む中で、英語の需要が世界的に高まっています。子どもたちへの英語教育も重視されるようになっていますし、企業では英語力を絶対視するようなケースも増えています。

文学においても、英語で表現したほうが訴求力が高いと考える人もいるでしょう。日本語人口は1億人強しかいません。

一方、英語ならはるかに多くの人々に伝えることができます。英語が普遍語として強い影響力を持つ現代では、日本語で書いている時点で不利なのです。

しかし、日本語でしか表現できないもの、日本語でしか味わえないものがあります。夏目漱石の『吾輩は猫である』を英語にすれば「I am a cat.」です。意味としては同じかもしれませんが、猫が「吾輩」と言っているおかしみは消えてしまいます。

先述したように、川端康成の『雪国』の冒頭「国境の長いトンネルを抜けると雪国であった」を、「The trainを主語に英訳するとどうでしょう。この文章の味わいはどうしても違ったものになります。

日本語を読み、書くことをもっと大事にしていいのではないでしょうか。

もちろん、日本語だけが優れていると言っているのではありません。それぞれの言語にそれぞれの魅力があり、強みや良さがあります。

アイヌ語には、アイヌの世界観がこめられています。

これまでお伝えしたように、日本語の豊かさや奥深さは比類のないものです。語彙数も非常に多く、これを強みとすることができます。

同時に、語彙の少ない言語体系も、少ない語彙で世界を理解して意思疎通をする世界観を持っているのであり、優劣をつけることはできません。

日本語を母語とする私たちは、日本語を充実させ、文化を内側から守っていく気持ちが必要だと思っています。

本章で紹介しきれなかったおすすめのコンテンツを、最後にいくつか紹介しておきます。

▼おすすめ書籍とCD

『悩んだときに元気が出るスヌーピー』ほか、谷川俊太郎訳のピーナッツ選集シリーズ　チャールズ M・シュルツ／作　谷川俊太郎／訳　祥伝社　2009～2019年

谷川俊太郎さんは、日本の詩を新しくした人です。谷川さんの詩集はもちろん読んでほしいのですが、ピーナッツシリーズの翻訳も秀逸です。「SIGH」（ためいき）を「やれやれ」と訳すなど、日本語がうまくて面白いのです。私は中学生の頃、谷川さんの訳とセットでこのピーナッツシリーズで英語を勉強していました。

『常用字解　［第二版］』白川静／著　平凡社　2012年

日本は漢字文化圏に属しています。漢字を使うことができるというのが、どれだけ豊かなことか。本書は常用漢字について、漢字研究の第一人者である白川静さんがその成り立ちを解説している辞典です。読み物としても面白いですし、あらためて漢字のすごさ、奥深さに感銘を受けることでしょう。

『宮沢賢治全集　全10冊セット』宮沢賢治／著　ちくま文庫　１９９５年

『春と修羅』、『銀河鉄道の夜』、『風の又三郎』、『注文の多い料理店』など、宮沢賢治の有名作品をはじめ、彼の異稿に触れられる良質な文庫版全集です。この他、ちくま文庫では、夏目漱石、芥川龍之介などが全集で読めます。太宰治の全集を読んでいると、「散華《さんげ》」や「饗応《きょうおう》夫人《ふじん》」といった短編にも感銘を受けます。

新潮ＣＤ『にごりえ／たけくらべ』樋口一葉／著　幸田弘子／朗読　２００1年

樋口一葉の代表作は音読するか、こういった朗読ＣＤで聞いて豊かな日本語を味わってほしいと思います。樋口一葉は、擬古文という古い時代の文体にならって書いているのですが、それがあまりにも美しくうっとりします。

おわりに

教養のある道を歩もう

いかがだったでしょうか。本書では、教養の入り口となるものをたくさん用意したつもりです。どれか一つでも気になるものがあれば先に進んでみてください。

私は大学1年生になったばかりの人たちに向けて、「君たちには2つの道がある。教養のある道と、教養のない道だ。私は、君たちと教養のある道をともに歩んでいきたいと思っている」という話をよくします。

そして、読んでもらいたい本を次々に紹介するのです。それをきっかけに、ニーチェや老荘思想、夏目漱石など、面白さにハマり、自ら本を探して深めるようになった人も多くいます。

「こんなに素晴らしいものに、なぜ触れてこなかったのか」と言って、芸術家ならその作品を全部見たい、文学者なら全集を買って全部読みたいという感じになります。「どうしよう、時間が足りないくらいだ」と言うのですね。こうなると、人生は楽しいことだらけです。

何か一つでも深めれば面白いですが、さらに幅広く教養を身につければ、知識同士がつながり、広がっていきます。世界の見方も変わるはずです。

教養を身につけると、希望を見出すことができる

本書で紹介している6つのテーマの教養があれば、たいていの話についていくことができるでしょう。会話のレベルも上がります。

教養のある者同士は、深い共感をすることができるものです。私は大学生から大学院生頃、教養にどっぷりハマる体験をしました。哲学、芸術や文学などについて友人

と語り合い、「そうだよね」と共感して豊かな時間を過ごしていました。

自分には語れる仲間がいないという人は、SNSのコメントでもかまいません。たとえば、モーツァルトの「ドン・ジョヴァンニ」について語り合いたいなぁと思ったら、CDのレビューなどを見ると、詳しい人がコメントしているでしょう。それを見て「ですよね〜」と共感するだけで楽しくなります。


そして、自己肯定感が上がると同時に他者肯定感、人類全体としての肯定感が上がる感じがします。こんなに共感できるんだ、理解し合えるんだということです。

ですから教養は、身につけることによって悲観的になるのではなく、少し楽観的になります。歴史の勉強などでは、世界に対して暗い気持ちを持つこともあるかもしれません。

しかし、その中でも希望を見出していけるのが教養の良さの一つです。

本書が教養の入り口となり、希望への道を照らす明かりとなれば、こんなに嬉しいことはありません。
では、ともに「教養の道」を歩みましょう！

2023年4月

齋藤 孝

主要参考文献

『マルクス　資本論　シリーズ世界の思想』佐々木隆治／著　KADOKAWA／角川選書
『図解 資本論 未来へのヒント』齋藤孝／著　ウェッジ
『新版　日本永代蔵　現代語訳付き』井原西鶴／著　堀切実／訳注　KADOKAWA／角川ソフィア文庫
『プロテスタンティズムの倫理と資本主義の精神』マックス・ヴェーバー／著　大塚久雄／訳　岩波文庫
『フランクリン自伝』松本慎一、西川正身／訳　岩波文庫
『論語と算盤』渋沢栄一／著　KADOKAWA／角川ソフィア文庫
『渋沢栄一とフランクリン』齋藤孝／著　致知出版社
『マンガでわかる　バフェットの投資術』濱本明／監修　ループスプロダクション／編　ちゃぼ／イラスト　standards
『私の財産告白』本多静六／著　実業之日本社文庫
『ムハマド・ユヌス自伝』（上・下）ムハマド・ユヌス／著　ハヤカワ文庫NF
『教養として学んでおきたい5大宗教』中村圭志／著　マイナビ新書
『図解　世界の宗教』渡辺和子／監修　西東社
『日本人のための世界の宗教入門』齋藤孝／著　ビジネス社
『くらべてわかる！　キリスト教・イスラーム入門』齋藤孝／著　ビジネス社
『声に出してよみたい新約聖書〈文語訳〉』齋藤孝／著　草思社
『ビジュアル図解 聖書と名画』中村明子／著　西東社
『ブッダのことば　スッパニタータ』中村元／訳　岩波文庫
『ブッダの真理のことば　感興のことば』中村元／訳　岩波文庫

『マホメット』井筒俊彦／著　講談社学術文庫
『コーラン』（上・中・下）井筒俊彦／訳　岩波文庫
『イスラーム基礎講座』渥美堅持／著　東京堂出版
『ヒンドゥー教――インドの聖と俗』森本達雄／著　中公新書
『バガヴァッド・ギーター』上村勝彦／訳　岩波文庫
『空海「般若心経秘鍵」ビギナーズ　日本の思想』空海／著　加藤精一／編　KADOKAWA／角川ソフィア文庫
『歎異抄』梅原猛／著　講談社学術文庫
『図解　歎異抄』齋藤孝／著　ウェッジ
『マインド・コントロールの恐怖』スティーヴン・ハッサン／著　浅見定雄／訳　恒友出版
『哲学用語図鑑』田中正人／著　斎藤哲也／編・監修　プレジデント社
『饗宴』プラトン／著　中澤務／訳　光文社古典新訳文庫
『齋藤孝のざっくり！　西洋哲学』齋藤孝／著　祥伝社黄金文庫
『ニコマコス倫理学』アリストテレス／著　渡辺邦夫、立花幸司／訳　光文社古典新訳文庫
『詩学』アリストテレス／著　三浦洋／訳　光文社古典新訳文庫
『方法序説』デカルト／著　谷川多佳子／訳　岩波文庫
『生物から見た世界』ユクスキュル、クリサート／著　日高敏隆、羽田節子／訳　岩波文庫
『嘔吐』ジャン・ポール・サルトル／著　鈴木道彦／訳　人文書院
『シーシュポスの神話』カミュ／著　清水徹／訳　新潮文庫
『知覚の現象学』（1・2）モーリス・メルロ＝ポンティ／著　竹内芳郎、小木貞孝／他訳　みすず書房
『ツァラトゥストラはこう言った』（上・下）ニーチェ／著　氷上英廣／訳　岩波文庫
『ツァラトゥストラ』ニーチェ／著　手塚富雄／訳　中公文庫

『シリーズ・哲学のエッセンス　西田幾多郎〈絶対無〉とは何か』永井均／著　NHK出版
『善の研究』西田幾多郎／著　小坂国継／全注釈　講談社学術文庫
『禅と日本文化』鈴木大拙／著　北川桃雄／訳　岩波新書
『第三次世界大戦はもう始まっている』エマニュエル・トッド／著　大野舞／訳　文春新書
『インディアスの破壊についての簡潔な報告』ラス・カサス／著　染田秀藤／訳　岩波文庫
『古代インカ・アンデス不可思議大全』芝崎みゆき／著　草思社
『レーニン全集31』レーニン／著　ソ連ＭＥＬ研究所／編　大月書店
『毛沢東の大飢饉』フランク・ディケーター／著　中川治子／訳　草思社文庫
『人類の物語』ユヴァル・ノア・ハラリ／著　リカル・ザプラナ・ルイズ／絵　西田美緒子／訳　河出書房新社
『銃・病原菌・鉄』（上・下）ジャレド・ダイアモンド／著　倉骨彰／訳　草思社文庫
『スクエア・アンド・タワー』（上・下）ニーアル・ファーガソン／著　柴田裕之／訳　東洋経済新報社
『我々はどこから来て、今どこにいるのか？』（上・下）エマニュエル・トッド／著　堀茂樹／訳　文藝春秋
『角川まんが学習シリーズ　世界の歴史　全20巻定番セット』羽田正／監修　ＫＡＤＯＫＡＷＡ
『角川まんが学習シリーズ　日本の歴史　全15巻＋別冊4冊定番セット』山本博文／監修　ＫＡＤＯＫＡＷＡ
『山川　詳説世界史図録　第4版』山川出版社　木村靖二、岸本美緒、小松久男／監修
『いっきに学び直す日本史　古代・中世・近世　教養編』安藤達朗／著　佐藤優／編集・解説　山岸良二／監修　東洋経済新報社
『いっきに学び直す日本史　近代・現代　実用編』安藤達朗／著　山岸良二／監修　東洋経済新報社
『20歳の自分に教えたい日本国憲法の教室』齋藤孝／著　ＳＢ新書
『齋藤孝のざっくり！　美術史』齋藤孝／著　祥伝社黄金文庫
『ちくま評伝シリーズ〈ポルトレ〉フリーダ・カーロ　―悲劇と情熱に生きた芸術家の生涯』筑摩書房編集部／著　森

村泰昌／巻末エッセイ　筑摩書房
『ピアノの森』一色まこと／著　講談社漫画文庫
『マイルス・デイヴィス自伝』マイルス・デイヴィス、クインシー・トゥループ／著　中山康樹／訳　シンコーミュージック
『心より心に伝ふる花』観世寿夫／著　ＫＡＤＯＫＡＷＡ／角川ソフィア文庫
『定本　映画術　改訂版』フランソワ・トリュフォー、アルフレッド・ヒッチコック／著　山田宏一、蓮實重彦／訳　晶文社
『大塚ひかり全訳　源氏物語』全6巻　大塚ひかり／訳　ちくま文庫
『芭蕉全句集　現代語訳付き』松尾芭蕉／作　雲英末雄、佐藤勝明／訳注　ＫＡＤＯＫＡＷＡ／角川ソフィア文庫
『おくのほそ道（全）ビギナーズ・クラシックス　日本の古典』松尾芭蕉／著　角川書店／編　ＫＡＤＯＫＡＷＡ／角川ソフィア文庫
『一茶句集　現代語訳付き』小林一茶／著　玉城司／訳注　ＫＡＤＯＫＡＷＡ／角川ソフィア文庫
『坪内稔典百句』稔典百句製作委員会／編　創風社出版
『坪内稔典句集　落花落日』坪内稔典／著　海風社
『坪内稔典句集　猫の木』坪内稔典／著　沖積舎
『句集　ヤツとオレ　角川俳句叢書　日本の俳人１００』坪内稔典／著　ＫＡＤＯＫＡＷＡ
『たとへば君　四十年の恋歌』河野裕子、永田和宏／著　文春文庫
『私の個人主義』夏目漱石／著　講談社学術文庫
『五重塔』幸田露伴／著　岩波文庫
『宮沢賢治全集2』宮沢賢治／著　ちくま文庫
『増補　日本語が滅びるとき　―英語の世紀の中で』水村美苗／著　ちくま文庫

『なぜ日本語はなくなってはいけないのか』齋藤孝／著　草思社
『悩んだときに元気が出るスヌーピー』ほか、谷川俊太郎訳のピーナッツ選集シリーズ　チャールズ　M・シュルツ／作　谷川俊太郎／訳　祥伝社
『常用字解［第二版］』白川静／著　平凡社
『宮沢賢治全集　全10冊セット』宮沢賢治／著　ちくま文庫

著者略歴

齋藤 孝（さいとう・たかし）

1960年、静岡県生まれ。明治大学文学部教授。東京大学法学部卒業後、同大学院教育学研究科博士課程等を経て、現職。専門は教育学、身体論、コミュニケーション論。『身体感覚を取り戻す』（NHK出版）で新潮学芸賞。日本語ブームをつくった『声に出して読みたい日本語』（草思社）で毎日出版文化賞特別賞。他の著書に、小社刊『大人の語彙力ノート』『読書する人だけがたどり着ける場所』『書ける人だけが手にするもの』『20歳の自分に伝えたい 知的生活のすゝめ』『20歳の自分に教えたい日本国憲法の教室』など多数。NHK Eテレ「にほんごであそぼ」総合指導。

SB新書　620

20歳《さい》の自《じ》分《ぶん》に教《おし》えたい本《ほん》物《もの》の教《きょう》養《よう》

2023年6月15日　初版第1刷発行

著　者　齋藤《さいとう》 孝《たかし》

発行者　小川 淳
発行所　SBクリエイティブ株式会社
〒106-0032 東京都港区六本木2-4-5
電話：03-5549-1201（営業部）

装　丁
本文デザイン　杉山健太郎
装　画　羽賀翔一／コルク
D T P
目次・章扉
コンテンツ紹介　株式会社ローヤル企画
編集協力　小川晶子
校　正　有限会社あかえんぴつ
編　集　大澤桃乃（SBクリエイティブ）
印刷・製本　大日本印刷株式会社

本書をお読みになったご意見・ご感想を下記URL、
または左記QRコードよりお寄せください。
https://isbn2.sbcr.jp/20042/

落丁本、乱丁本は小社営業部にてお取り替えいたします。定価はカバーに記載されております。
本書の内容に関するご質問等は、小社学芸書籍編集部まで必ず書面にて
ご連絡いただきますようお願いいたします。

ISBN 978-4-8156-2004-2